ウィズコロナ
世界の波乱
日本は民度の高さで勝利する

コロナショックで
世界から
注目された日本
頑張れ！ニッポン!!

ケント・ギルバート
石平

飛鳥新社

はじめに

《ケント・ギルバート》

40年前、1980年8月17日、妻と2歳の息子、生後5カ月の息子を連れて私は東京の羽田空港に到着しました。

昭和の時代でした。それから平成、令和と日本のみなさんと一緒に生活し、バブルもバブル崩壊も、リーマンショックも大震災も、ともに体験しました。

そのなかでよくわかったことは、日本人は危機の際には団結し、大変な強さを見せるということでした。

特に、今回の新型コロナウイルス騒動ではその良さが如実に表れ、ほかの国のように強制的なロック・ダウンもすることなく、世界的に見ても少ない感染者数で、亡くなった方も多くありませんでした。

日本人のみなさんは経済的に厳しくなることを素直に受け入れ、自主的にお店を休んだり、本当は出社したほうが仕事がはかどる人も、在宅勤務をされていました。

編集部からの依頼は「石平さんと、外国で生まれ育った二人で、特にコロナの際の日本人の素晴らしさを語り合い、日本人を応援するような内容の対談をしてほしい。そのなかで、アメリカ大統領選挙と中国共産党の問題も論じ合ってほしい」というものでした。震災のとき、今回のコロナ問題の際、私はずっと日本の人たちのすごさ、底力に驚いていました。石平さんも同様で、二人で日本の素晴らしさについて語り始めると、時が経つのも忘れるほどでした。

しかしながら、中国が習近平政権になり、今まで以上に強硬に、日本を含む世界に挑戦状を叩きつけてきました。

自分たちが蒔《ま》いた不幸であるコロナで世界が混乱している間に、その勢いをますます強めています。

私は、日本の良さをたくさん知っています。だからこそ、40年間も日本で暮らしているわけです。

もちろん長く生活していますから、日本の良くないところもわかっています。

その最も大きなものは、アメリカのウォー・ギルト・インフォメーション・プログラム（WGIP）に原因があると私は考えていますが、日本人の自虐史観と平和ボケです。

実際、新型コロナウイルスに関しても、世界中が中国共産党に対して怒っているのに、日本人はこんなに大変な思いをしていても、天災慣れしているのか、WGIPによって洗脳されてしまっているのか、すっかり平和ボケをしてしまっているのか、少しも中国に対して怒りが向かわないのです。

私は不思議でなりません。

中国共産党が新型コロナウイルスを隠蔽《いんぺい》しなければ、今回起こった不幸は何一つ、起こらなかったわけです。

日本人が、危機を危機と感じず、目の前の商売にばかり目を向けていると、いつの間にか、中国の侵略が着々と進み、後戻りができないところにまで来てしまう可能性があります。

麻生太郎副総理大臣がいみじくも語ったように「日本人は非常に民度が高い」のです。

その良さを活かして、世界、特にアジアのリーダーシップをとり、恐らくは再選されるであろうトランプ大統領とともに、中国共産党の世界制覇——華夷秩序《かいちつじょ》——の野望を打ち砕くべきなのです。

侍がいた時代から30年後、日本は大国ロシアを打ち破りました。

黒船ショックで大きく変わったのです。

今回の新型コロナウイルス問題も、日本にとって黒船級のショックです。

この危機をチャンスに変え、日本が大きく変革することを願ってやみません。

日本にはその力があるのです。

それは、アメリカで生まれ育ち、日本に40年、3つの元号にわたって、生活した私だからこそ、確信できることなのです。

コロナ危機の今こそ、言いたい！

「日本、日本人、頑張れ！」

中国が悪魔の手を大きく伸ばしつつある今こそ、言いたい！

「頑張れ！　日本と日本人！」

令和2年8月16日

ケント・ギルバート

目次

装　丁／明日修一
著者撮影／岩本幸太

第一章

日本人は自然体で コロナ危機を乗り越えた

自然と共存してきたからこそ奇跡を起こした

ケント　石平さんは、日本国籍を取られているんですよね。

石平　そう。もうとっくに日本人よ。より正確にいえば、四川省出身の中国系日本人ということになります。帰化したのが平成19年（2007年）ですから、日本人になって今年（2020年）で13年になりますな。

ケント　13年というと……。

石平　13歳は人間でいえば中学1年生。まだまだ若い（笑）。うちの息子とは兄弟のようなものです。

ケント　私が最初、日本に来たのは1971年。その後、再来日し、日本に住んでかれこれ40年になります。住んでいる時間からすれば、故郷のアメリカよりも日本のほうが長くなってしまいました。

日本居住歴40年のアメリカ人である僕と〝気持ちは13歳〟の（笑）中国系日本人である

石平さんが、ウィズコロナ時代の日本と日本人について大いに語るというのが、この本のテーマのひとつなわけです。どちらかというと、一般の日本人が気づかない、語りたがらない日本のいいところを挙げてみたいのですが。

石平　今回の中国・武漢発のコロナウイルスは世界全体で猛威を振るい、ある意味、第2次世界大戦以来の人類全体の大災難とも言えるわけです。地球規模で大変な被害を受けているという状況で、現状から申しますと、世界全体で確認された感染者数は約2160万人、死亡者は約77万4000人……（共に2020年8月16日時点）。

ケント　感染者の数は、これにプラスして、中国当局が隠している人数でおそらく10～30万人（笑）。

石平　いやあ、冗談ではなく、ほんとうにその可能性はありますわな。

ケント　それから、アフリカなど、正確な統計が出ていない国々がありますね。とにかく、小国の人口くらいは感染者が出ています。

石平　アメリカは特に被害がひどくて、感染者は約549万人。死亡者は約17万2000人です。イギリスにしても感染者が約31万8000人に達して、死亡者も約4万1366人ね。それで、イタリアでもスペインでもフランスでも、先進国と呼ばれる国々までもが大量に感染者と死亡者を出してしまいました。このウイルスがいかにすさまじいものか、よくわかります。

しかし、同じ西側先進国のなかで日本だけが、今の時点の数字から見ても奇跡というほどに低い。感染者は2万人弱で、これだけでも他国から比べてダントツに低いのに、死亡者の数は１１０３人（8月16日時点）という驚異的な低さ。もちろん、人が亡くなっているわけですから、少ないといって声高に喜んだり、自慢したりする話ではありませんが。

ケント　いや、十分奇跡だし、自慢できる数字だと思いますよ。

石平　ええ、奇跡です。このジャパン・ミラクルというものをケントさんはどうとらえますか。たとえば、われわれの日常生活から見て、何が奇跡を生んだかということを。

ケント　私は当初、日本が大した対策をとっていないように見えました。たしかにクラスター感染の経路はすべて特定してそれを潰したわけですが、それ以上のこと、たとえばロックダウンなどの強制的な処置もありませんでした。しかも、テスト（ＰＣＲ検査）もほとんどしていないわけでしょ？　ニューヨークでもパリでも、どんどん感染者、発病者が広がり、病院が大変な状態になっているというのに。

実態もわからないなかで、ひたすら災禍が通り過ぎていくことを祈っていたといいますか（笑）。いつ東京で、大阪で感染爆発があるのか。その可能性は？　その場合の対処は？「（政府は）把握している情報を今すぐオープンにするべきだ」と、私は複数の番組で言いましたが、まったく答えてくれる気配もありませんでした。ただただ、「頑張っています」としか言わない。

石平　政府の対応が頼りなかった？　マスコミもみんなそう言っていましたな。それで、「韓国のドライブスルー方式の検査を見習え」とか、「1カ月後には東京はニューヨークのようになるぞ」とか。

ケント　ところが、今となってみると、日本での感染者はとても少なかった。特に東京圏の人口は3743万5191人で、世界一の大都会です。朝夕の通勤ラッシュの電車はクラスターの温床に見えます。その東京で、これだけ感染者が抑えられているのは、他国から見ればやはり奇跡と言っていいわけですね。

その要因はこれから大きな研究課題になりますが、一つには、日本のマスク文化が挙げられると思います。人々が普段からマスクをして、マスク姿が街の風景に溶け込んでいるんですね。日本は毎年春になると花粉症が流行るし、日本人はちょっと寒いと防寒用としてマスクをつけます。さしたる意味もなくマスクをしている人もいます。これが、結果的にはよかったのだろうと思います。

昔、よく西洋人が日本人をカリカチュア（誇張や歪曲を施した人物画）すると、メガネと出っ歯を強調していましたが、これからはマスクこそ日本人の象徴になるかもしれません。それも揶揄《やゆ》ではなく、カッコいいスタイルとして描かれると思います。

石平　生活習慣として、衛生が根づいているわけですよ。これを衛生と言っていいのかわかりませんが、挨拶にしても、握手しない、キスしない、ハグしない――。日本式のおじぎは、自然とソーシャルディスタンスを保つことができるわけですね。

ケント　日本人はずっと、自然というものと共存していましたから。病気や災害がどうやって起こるのか、生活のなかから学んでいました。西洋医学が入ってくるずっと以前からです。徳川時代に、それは完成されていました。同時期のヨーロッパなどでは、都市部でさえノミやシラミだらけだったんですよ。

言うまでもなく、ペスト菌はネズミからノミを介して人に感染します。中世のヨーロッパを死の大陸に変えたペストは、そういう環境のなかで広がっていったのです。幕末のころ、日本に来た西洋人の記録を読んでみますと、「この国では、たとえ街の小さな旅館に泊まってもノミに悩まされることはない。どこへ行ってもシラミ頭の子どもを見かけることがない」と驚いてあるわけです。

お風呂に入るという習慣も、古くからありました。今はどうか知りませんが、昔、フランス人は1年に2、3回くらいしかお風呂に入りませんでした。非常に不潔なものでした。香水文化が発達したのも体臭をごまかすためでした。

石平　中国もそうですね。水が貴重ということもありますが、湯にはあまり入りません。

ケント　ラテン語でも、お湯――hot waterをcalida aquaと言い、一語で表す言葉がありません。世界中の言語でも、お湯を一語で表す言葉はおそらく日本語だけではないでしょうか。それだけ、お風呂が文化として定着しています。湯殿、湯船、湯加減、湯けむり、日本語には「湯」がつくお風呂に関する単語も多い。

石平　そういえば、そうですね。現代中国語の湯（タン）は、お湯ではなくスープのことですし。

日本人にとって、湯というのは、単に「熱した水」以上の意味があるのかもしれませんな。生まれたときは産湯につかり、死んだら湯灌《ゆかん》。湯によって洗い清められる。ちょっと拝火教《はいか》（ゾロアスター教）にも近い考え方です。これも一種の自然信仰かもしれませんね。

ケント　日本は水が豊富で、火山帯の上に国土があるという独特の自然環境にあるわけです。火山は噴火したり、地震を引き起こしたりといった被害ももたらしますが、湧き水が温泉という恵みにもなります。そのことによって、大昔から湯に親しむという文化ができあがってきました。

石平　韓国とか台湾とか、日本人が統治したところには温泉文化が残っていますな。

ケント　ヨーロッパにも温泉地はあることにはあるのですが、どちらかというと治療目的です。ですから、温泉に行くなんていうと、どこか体が悪いのではないかと思われてしまうこともあるようです。

石平　お風呂に入るというのが、そのままレジャーになる文化はほかにありません。

日本人の衛生観念、清潔さは世界一だ！

ケント　やはり水が豊富だったということが大きいわけです。水の豊富さは日本の衛生観念にも強く影響しています。徳川時代には各長屋にも井戸がありましたし、江戸では上水道があって神田川や玉川から水を引っ張ってきて、人々の生活用水や農業用水にしていました。

下水道はなかったのですが、糞尿は汲《く》み取って、しっかり肥料に使っていたんです。究極のエコライフです。

一方、ヨーロッパの町、ロンドンやパリでは2階の窓からおまるの中身を投げ捨てていた。ヨーロッパでは衛生に対する意識や取り組みが、まったく日本とは違っていました。朝鮮もそうです。日本人が統治するまでは、「道端に汚物を捨てていたし、家の周りの溝は糞尿で黒く淀んでいて、すさまじい悪臭を放っていた」と、イギリスの女性旅行作家の本にあります。かなり衛生状況が悪かったわけです。しかし、併合時代以後にはそういった光景がなくなります。

日本人は、よその土地を統治するにしても、一番神経を使ったのは都市衛生。台湾も、もともとはマラリアの巣といわれていたんです。日清戦争で清国が台湾島を日本に割譲《かつじょう》することになったときも、外務大臣の李鴻章《りこうしょう》は「あんなマラリアと蛮族の島、もらったほうが苦労するよ」と捨て台詞を吐いたのは有名な話です。その台湾に日本は、下水道を完備し、保健教育を徹底させ、マラリアを一掃してしまいました。

石平　マラリアは始末が悪い。戦争中、南方に行った日本軍もさんざん悩まされました。

敵の弾ではなく、マラリアや疫痢《えきり》で亡くなった兵隊も多かったのです。

ケント　日本人の特性なのかもしれませんが、内地よりも外地に最新鋭のものをつくるんですね。ダムとか鉄道とか。満洲映画協会（満映）は当時、東洋一の広さと設備を備えていました。NHKアナウンサーだった森繁久彌《もりしげひさや》氏が満洲支局行きを決心したのは、水洗トイレつきの社宅を用意してくれたからだったそうです。東京でもまだ、水洗トイレなんて見ることがなかった時代ですね。

石平　よく言われますが、中国の公衆トイレは大変に汚い。穴が空《あ》いているだけで、囲いもないから、隣が丸見え。「ニーハオトイレ」と言われました（笑）。今は、だいぶきれいになりましたが。

ケント　トイレに関していえば、やはり断トツで、日本が清潔で明るい。僕が初めて日本に来た49年ぐらい前には、まだ、床に穴が空いているだけのトイレもあるにはあったんですが、早々とみんな水洗になっていきました。

日本はトイレに関する研究、開発は世界一だと思います。現在のハイテク・トイレなんてすごいですよ。ウォシュレットなんかは当たり前。人が近づくとセンサーで感知して、自動的にフタが開くし、便座にはヒーターが入っていて冬は暖かい。お尻を洗ったあとは温風も出るし、最近は泡洗浄機能や節水機能のついたトイレもあるそうです。

歌手のマドンナが日本で公演したとき、日本製のハイテク・トイレに非常に感動して、自宅用に特注したというのもうなずける話です。

石平　中国の成金が日本に来て、たくさん便器を買っていったという話もあります。中国では日本製のボタンがいっぱいついたトイレを家に置くのがステータスだった時期があったんですよ。確かに、ハイテク・トイレは使ってみるとすごくいいのですが、ボタンがやたらあって、いざ流すとき、どれを押していいのか悩んで焦るときもある（笑）。そういうのに限ってコック式だったりします。

これも日本人の性分なんでしょうが、小さな本体にやたらと多機能を詰め込みたがるところがありますね。便利なんだかムダなんだか、ちょっとわからなかったりして（笑）。

ケント　バスタブなんかも泡が出たり、マッサージ機能があったり、多機能になりつつありますね。

やはり、日本人はお風呂オタクなんですよ。狭いアパートでも、ユニットバスがついていて、湯船の外でお湯をかけて入念に体を洗ってから、湯船に入って、ゆっくりとストレスを解消する。ボディーシャンプーなんて日本特有のものだと思いますね。時間をかけてお風呂に入るというのは、アメリカでは習慣としてあまりありません。第一、浴槽の外で体を洗うスペースがないので、バスタブの中で洗って、最後にシャワーで流すのです。

石平　日本人の場合、お風呂というのは、単に体を洗うというだけでなく、一日の区切りの意味もありますからね。

ケント　日本は世界基準でいえば、オフィスが比較的きれいだし、電車の中はぴかぴかですよね。ニューヨークの地下鉄なんか、あんな汚いものがあるかと思ってしまうぐらいです。名物の四文字言葉の落書きもありますし、いろんな臭《にお》いがしみついていますし、どこか薄暗くて不衛生な雰囲気です。少なくとも健全な空気ではない。

その点、日本の電車は、平気で居眠りができるくらい、乗っていても安心です。おかげで乗り過ごすこともありますが（笑）。電車で居眠りしていても、荷物を盗まれることもありません。日本は素晴らしく治安がいいと思いますよ。これは、衛生とはちょっと別の話になってしまいますが。

日本人の公共意識の高さはもっと自慢していい

石平　私も全く同感です。やはり、この国の誇れるものの一つが清潔さ。どこへ行っても街がきれいでしょ。まったくないとは言わないけれど、ポイ捨てする人があまりいません。たまに夜、酔っ払いがゲーゲーやって変なもの残していくけれど、（笑）。しかし、翌朝行くと誰かがそっと片づけている。これに関しては、本当に感謝したいですね。

それから、もう一つがやっぱり、日本人は公共意識が高いですわな。要するに、ただ個人で好き勝手に行動するのではなくて、みんながひとつの共同体として、大きな問題が起こると協力して同じルールを守って、同じように行動する。

ケント　ポイ捨てはもともと少なかったのですが、ここ10年ですっかり見なくなりましたね。道路でタバコの吸い殻を見ることも滅多にありません。

見違えるようになったのは、駅や公園のトイレです。どこの駅だかは忘れましたが、「トイレはきれいに使いましょう」と貼り紙をしても汚す人がなかなかいなくならないので、思い切って「いつもトイレをきれいに使ってくださって、ありがとうございます」という貼り紙に代えたら、とたんに汚す人がいなくなって、トイレがきれいになったそうです。皆がきれいに使っているかと思うと、自分だけ汚すのは心理的な負担になりますからね。

石平　「きれいに使ってくださって、ありがとうございます」は、現在ではスタンダードになっていますね。日本人の公共心に訴える、いい言葉です。

ケント　「きれいに使ってください」という上から目線のお願いではなく、「ありがとうございます」と言われると、逆に汚せなくなりますよね。ある意味で、これも恥の文化だと思います。

石平　麻生太郎副総理が、日本ではコロナ肺炎による死亡者が少ない理由に関して「民度のレベルが違う」と発言し、例によってマスコミがいっせいに叩いていましたが、この発言のどこが間違っているんだと思いましたよ。

ケント　私も同感です。

石平　先進国のなかでも、もともと日本は規制が非常に緩やかですよね。基本的に処罰も伴わない、強制力のない「要請」が多いですよ。要請は、「お願いする」という意味です。

ケント　法律家から見ても、日本の法律は罰則規定がついてないものが多いですよ。

石平　特に今回の自粛ね。政府が最終的には緊急事態宣言を出したときも、あくまでも頼む。要請する。総理大臣も要請する立場。各自治体の首長も同じ。みんな命令するんじゃなくて、お願いするんです。お願いすると、日本全国でどういう現象が起きたかというと、当然、学校もみんないっせいに休む。会社も休む。個人個人がみんな、自分の家で生活する。飲み屋さんもいっせいに閉店する。

飲み屋さんなんか、ひと月店を閉めるのは、大変なことなんですよ。水商売、客商売というのは、毎日お客さんを回してこそ、商売になるんです。

みんな自分の利益を優先するのではなくて、感染を防ぐという公《おおやけ》の目的のために動く。自己犠牲を払いながらも、会ったこともない、会うこともないかもしれない不特定多数の人たちのために尽くす。これこそが公共心だと思いますし、言い換えるなら、民度の高さだと思います。このことは、日本人はもっと胸を張って自慢してもいい。

ケント　私が今言ったトイレの話がまさにそれですね。自分のあとに使う人、掃除する人のことを想像できるのが日本人なんです。この想像力というものを公共心と呼んでもいい。

トイレを汚さないようにするのは簡単です。汚した者から莫大な罰金を取る法律をつくればいい。そうすれば、誰もがきれいに使いますよ。でも、それを公共心とか民度が高いとは言いません。単に罰金が怖いから汚さないだけです。また、そんなつまらない法律で取り締まるのも情けない。

石平　平壌の街並みなんかゴミひとつ落ちていません。映画のセットのようにがらんとして、きれいはきれいですが、どこか人工的な雰囲気なんです。ゴミなんか落とせば、激しく罰せられるから。そのきれいさは強制されたもので、日本とは異なります。

ケント　今回のコロナ騒動でも、それが如実にわかるわけですよ。イタリアやフランスでは外出許可書を携帯していないと、最悪、罰金を取られます。そうでもしないと不要不急の外出が止められません。嫌々かもしれませんが、要請で自粛できるのだから、日本人は成熟していますよ。

一致団結してコロナ危機を乗り越えた

石平　実は、私も他人のことを言えるほどに自粛の模範生じゃなかったんです。自粛中に私は一度、東京に来たんですよ。某ネット番組の出演のために（笑）。それで、新橋のホテルに泊まったんですわ。途中、新幹線はがらがら。ほとんど人が乗っていない。東京駅にも誰もいなくてびっくり、新橋でさらにびっくり。夕方の6時なのに、牛丼屋さんぐらいしかやっていませんでした。ふつう、夕方6時、7時の新橋周辺といったら、ほろ酔い加減のサラリーマンでごった返しているのに、数えてみたら、街を歩いているのは私を含めて5人しかいなかった。

寂しいといえば寂しい光景なんですが、これが日本人の協調性というものかと思いましたな。要するに、何か大変なことになると自分勝手には行動しない。あるいは、個人的に自分のビジネスには大変な犠牲を払ったとしても、この共同体全体のみんなと一緒に頑張る。そういうことになるんです。素晴らしいことです。

私が住む街でもそう。私、実は緊急事態宣言の直前に、あちこちの行きつけの居酒屋を応援放浪したんですよ。

ケント　ああ、飲みに行ったんだ。

石平　売り上げ協力（笑）。ホント、飲み屋さんはみんなもう死活問題ですよ。よく行く店もひと月閉めるというので、「もう明日からはすみません」と店の親父さんが言うんです。自分たちが一番の被害者なのに、まずお客に「すみません」と気遣う。「必ず再開するから、またオープンしたらぜひ飲みに来てよ」と言う。こういうところに日本人の共同体意識というのを感じますね。みんなが同じ社会で生きているという。

ケント　そうですね。公共意識っていうか、共同体。みんなで生きているということですね。

石平　一種の心のつながりがある。みんなで一緒に頑張ろう、一致団結して乗り越えよう、という感じ。ですから、私もコロナが収まったらまた毎日のように、そういう居酒屋に飲みに行くつもりですよ。

ケント　私は自分で料理もしますが、あんまりバラエティーがないから、すぐ飽きてしまって。それで、テイクアウトなんかで頑張っているお店なんかを積極的に利用することにしました。

経済というのは消費に支えられているわけです。ですから、皆さんが消費しなくなってしまうと回らなくなる。どうせ、食べなきゃいけないんだったら、スーパーに行って材料を買ってきてつくるのもいいですが、がんばって商売を継続しようとしている店、それを積極的に応援しようと思いました。

石平　焼き鳥屋さんでも中華料理屋さんでも、生き残りをかけてテイクアウトに切り替えた店がいっぱいありました。みんな頑張っているし、知恵も絞っている。そういう店を見ると、やはり応援したくなります。一方で、政府がこれをしてくれない、あれをしてくれない、とか文句ばっかり言っている人を見ると、なんとも寂しい気分になる。

日本人の民度の高さは共同体意識が根本にある

石平　私の住んでいる大阪の街で、ちょっといい話がありました。やはり飲み屋さんの話です。そこもお店をしばらく休むことにしたので当然、収入がなくなります。しかし家賃は払わなければならない。もう、お先真っ暗な状態で。そこでね、そのお店の常連さんが輪をつくって、「将来の飲み券」というものを始めたんです。要するに、「コロナ騒ぎが全部収まってから、またこの店に飲みに行く。しかし、将来飲みに行くときにお金払うんだから今払ってしまおうよ」と。今払って、3カ月後の飲み券を買うんですわ。

ケント　すごい！　そういう常連客がついているお店はいいですよね。

石平　私がよく行くお店の店主さんは、それで助かったんです。というのは、店は資金繰りが途切れたら、もう終わりですから。要するに、「お客さんが買ってくれた3カ月後の飲み券で、今月の家賃がやっと払うことできたよ」と非常に感激してくれたわけ。
それでね、「3カ月後にお客さんたちがこの券を持って飲みに来てくれたときには、俺が特別にいい料理を出すよ」と言ってくれた。「石平ちゃんも飲みに来てね。一番いい酒を出すから」って言うの。日本社会では、そういう人間と人間の絆とか人間の輪とかができるんですわな。

ケント そういう地域での助け合いとか持ちつ持たれつの関係って、昭和の時代はもっと自然にあったんでしょうね。それがいつの間にか忘れられてしまったというか。石平さんがいう、公共心や共同体という考え方は、一度否定されてしまっていたんですね。もしくは、昔は大切にされていたものが、なぜか嘲笑の対象にされてしまっていた。

たとえば、共同体とか公共とかいうと、すぐに軍国主義とか全体主義に結びつけて危険視する傾向があるでしょ？ あるいは、ムラ社会の論理とかいって、時代遅れなもの、ダサいものといったようなイメージで語られます。しかし、ムラ社会にはムラ社会のいいところもいっぱいあるわけですよ。

日本が巨大なムラ社会そのものなんですから。ひとつの国のなかで民族対立がないし、宗教対立もない。これはムラ社会だからです。もめごとがあっても、ムラの中で解決する。現在アメリカで暴走しているＡＮＴＩＦＡ（アンティファ＝反ファシスト）やＢＬＭ（Ｂｌａｃｋ Ｌｉｖｅｓ Ｍａｔｔｅｒ＝ブラック・ライヴズ・マター）のように、自分の政治思想を推し進めるために人を襲ったり、暴動、略奪、放火に発展したりするようなことは日本では起きにくい。

石平　たとえば、村八分なんて制度も、八分は冠・婚・建築・病気・水害・旅行・出産・年忌《ねんき》の８種類で、火事と葬式は別にされていました。完全に共同体から排除するものではなかったんです。日本人の強い公共性もムラ社会が育《はぐく》んだものかもしれませんね。

ケント　共同体と個人に分けて両者を対立概念化する。これは、左翼の得意とする手口です。もっとも大きな共同体は国家ですが、左翼は、国家は常に抑圧者で個人は常に被抑圧者であるというふうに洗脳していく。そうやって、行き過ぎた個人主義が蔓延していき、日本の古くていい考え方や風習が失われてきた。これを仕掛けた者たちの最終目的は、国家の解体です。

石平　それはありますね。

ケント　言い換えれば、分断政治で、被害者階層をつくり、悪用します。国家対個人、男性対女性、マジョリティ対マイノリティ、左翼は常に二項対立をけしかけます。前者が抑圧者で、後者が被抑圧者という構図ですね。早い話が、階級闘争を呼びかけているわけです。ただ、日本は基本的に階級社会ではありませんから、階級闘争といってもあまりピンと来ないのか、そこまで深刻な状況がベースにないからか、あまり階級を憎む心理がないというか、すんでのところで完全破壊はまぬがれている。しかし今お話ししましたように、古くていいものの多くがいつの間《ま》にか忘れ去られてしまったようにも思えます。

石平　今回のコロナ騒ぎで、逆に日本の共同体意識とかムラ社会のいい面が再認識されるきっかけになったのではないでしょうか。それこそ、日本の民度の高さの秘密として、公共心やムラ社会というものが世界から注目されるかもしれません。

マスクなんてしなかったアメリカ人やヨーロッパの人たちが、今や日本のマスク文化を輸入しています。日本の古い価値観や生活様式が、これから世界のスタンダードになるということも十分にあるのではないかと思いますね。

国民の良心を法律が信頼している

ケント　先ほどの話に戻りますが、日本の法律には罰則規定のないものが多いんです。罰則がないというのは、それだけ国民の良心や道徳心、あるいは羞恥心というものを法が信頼しているということです。逆に言えば、道徳の規範の薄い民族ほど罰則で縛らなくてはいけなくなります。

石平　日本がほぼひとつの民族で構成されていることも、その要因のひとつですね。国自体がひとつの大きな家族のようなものですから。これが多民族国家だと、習慣や宗教、人種で対立があり、それを抑えるためにも拘束力のある強い法律が必要になってくる。

ケント　そうですね。日本は国家と民族の間に葛藤がありません。これはとても幸福なことだと思います。

石平　ただ、これからは少しずつ変わっていくでしょう。好むと好まざるとにかかわらず、日本もある程度の他民族の流入を認めなくてはならなくなる。昔ながらの共同体もなくなりつつありますからね。

ケント　それほど心配はいらないと思いますよ。日本の文化は強い。多様性があっても、即対立に繋がらないと思いますよ。最近、ＬＧＢＴ（性的少数者）という言葉をやたらと耳にするでしょ？　「日本に同性愛者の権利を認める法律がないのは人権後進国である証拠だ」と、分断政治のなかの新たな被害者階層にしようとする外国の活動家と日本の野党政治家がいます。でも、伝統的に日本ほど同性愛に寛容な文化を持つ国は世界でも珍しいと思います。戦国時代、いやもっと前の鎌倉時代から、武士階級では高級な趣味として同性愛を楽しんできました。明治維新の志士と呼ばれる人たちも、みんなやっていました。薩摩藩はご承知のように、女性忌避《きひ》の風潮が強い土地柄でした。

同じころ、イギリスでは作家のオスカー・ワイルドが同性愛者ということだけで投獄されています。

そういった、同性愛を異端、犯罪として扱ってきた文化圏の国がいまさら「同性愛者の権利」を無理やり日本に押しつけて、遅れているとか、人権意識がないなんて、前提に間違いがあります。法律で権利を保障しなくていいということは、自然発生的に権利が認められていたということを意味しています。

職場における同性愛差別は徐々に解消されつつありますが、現実問題として残っている最も大きな問題は、本来なら「結婚」という契約に伴う権利関係です。

例えば、相続に関しては、現行の養子縁組の制度である程度フォローできるとし、現に、それでうまくいっているカップルは日本にもいっぱいいるわけです。しかし、国際世論では、同性愛結婚を認める方向に進んでいて、日本もそうなると思います。

石平　捕鯨問題でも、外国の活動家は自分たちの価値観を押しつけて日本を非難します。日本のリベラルがそれに同調して、話を大きくしていく。とにかく彼らは、長い歴史のなかで培われてきた伝統や規範というものを壊すことが目的のようです

ケント　やれ、沖縄独立だ、アイヌがどうだ、と言っている人たちは、本来、日本にはなかった民族対立をつくりだそうとしているとしか思えません。

災害時こそ日本人が本来持っているすごさが出る

石平　「民度」を「民族、国民の成熟度」とすると、それがストレートに表れるのは、災害時ですね。日本は地震が多いでしょ？　台風も多いでしょ？　しかし災害において、往々にして日本人の素晴らしさが出てくるんです。

実は、私が日本で初めて自然災害に体験したのは阪神大震災のとき。あの頃、私は神戸大学に留学していたんです。そこに大地震が来た。つまり、私は被災者だったんですよ。

ただし、その晩は自分の下宿には返らなかった。秘密の場所に泊まったんです。今のかみさんには言えない場所に……。

ケント　ああ、彼女のところに？　ま、独身時代の話だからいいじゃないの（笑）。

石平　しかし、神戸の自分のアパートに戻ったら大変なことになっていて、とても生活できる状況ではありませんでした。仕方がないので、避難所に入って3日間、過ごしたんです。

正直、感動しましたね。多くの老若男女が同じ体育館の避難所にいて、3日間、家にも帰れず、プライバシーもない生活が続く。ふつうはストレスや不安でパニックになる人が出てもおかしくない状況なのに、トラブルに類するものはまったくなかったんですよ。

ケント　実に日本人らしいね。

石平　誰も大声も出さない。みんなが周りに迷惑をかけないように気をつけている。救援物資が届いても、われ先に奪いに行くような恥ずかしい人が誰もいないの。みんな静かに列に並んで、黙って自分の順番を待っているわけ。

ケント　そこなんですよ。日本人は知らない者同士でも同じ境遇にいれば、すぐに共同体意識が形成される。

石平　避難所のすぐ近くにコンビニがあったんですよ。そのコンビニ、地震でつぶれたんですわ。半分つぶれてドアも倒れて、店内を見たら商品が散乱しているんですよ。私は連続3日間、その店の前を通りかかったんです。しかし、誰も散乱している商品を取りに行く人はいませんでした。3日経《た》っても、散乱している商品はそのままですよ。すごいことです。どこの国とは言いませんが――私の出身国とは言いませんが（笑）――あの国だったら、30秒できれいに消えていますよ。3日じゃないよ、30秒よ。

ケント　ミネソタで始まった黒人暴動にしても、差別に対する抗議を旗印にしながら、結局は略奪でしょ？　高級ブランド店に押し入り、商品を根こそぎ奪っていく。あるいは、個人商店でも、店を護《まも》ろうとする店主に、手当たり次第に大勢で襲いかかってリンチする。そんな動画がネット上に腐るほどあります。あれを見て、当初こそ黒人差別反対デモに同情していた人たちもドン引きしたはずです。

日本では、まず略奪ということは起きません。その前に暴動というものが起こらない。

石平　災害時の避難民を見れば、よくわかります。麻生さんがおっしゃったことは正しいですよ。要するに、民度が高いんですわな。同じ日本人の共同体の中でいざとなると、みんな相手を思いやり、ルールもちゃんと守る。「利己的で恥ずかしい行いはしたくない」という、日本民族がもともと持っている素晴らしさが、危機に面したときにはっきりと出るわけです。

日本と日本人を絶賛した中国のジャーナリスト

石平　東日本大震災のときもそうでした。実は東日本大震災のとき、ふだん他国の事故や事件にはあまり興味を示さない中国のメディアが、特別の取材チームを日本に派遣していたんです。やはり、阪神大震災での日本人被災者の秩序正しさに興味を持ったのでしょうな。東京近郊に中国人が多く住んでいるということも、もちろんあったでしょう。彼らが中国に帰って書いた記事を見てみると、日本と日本人を絶賛しているんですよ。「ああいう大災害の中で日本人が冷静に秩序をちゃんと守って、略奪もなければ混乱もなく、みんなちゃんと列に並んでいた」と。

あのころ、私、今でも覚えているんですよ。中国・北京の夕刊紙でした。一面で大きな写真1枚を掲載していました。どこの写真かというと、震災地じゃないの。東京。東京のどこかの駅のエスカレーター。というのは、あの晩、震災が起きてサラリーマンがみんな、帰宅できなくなっちゃったんでしょ。それでみんなが駅で一晩明かしたわけです。その写真は何を撮っていたかというと、エスカレーター付近の光景なんです。みんな疲れて階段に座っている。停まっているエスカレーターにも結局、人が座っているんですわ。もう他に座る場所がないから。

問題はここですよ。エスカレーターに座っている人が、みんなきれいに左半分を空けているんです。

ケント　上り下りする人のためにですね。

石平　そう、上ったり下りたりする人のために。中国人はこれに驚嘆していたんですよ。

ケント　私は新橋駅での階段を写した写真を今も持っていますよ。広い新橋駅の階段にはみんなが座っているんですが、真ん中を空けているんですよ。「空けろ」と誰かが言ったのでは全然なく。

石平　そう。さっきの話ではないですが、空けなければいけないという法律があるわけでもないのにもかかわらず……。

ケント　これは空けないと周りの迷惑になるな、と。本人たちが意識してそういうふうに行動しているわけですよ。騒いでもいない。静かにしている。騒いだところで電車が来るわけじゃないですから。停電していますし。

やはり、日本は昔から自然災害が多かったから、そういうときにどうすればいいかを体験的に学んでいるんですよ。決して慌てないし。それから、これは日本に来てから知った言葉ですが、「諦念《ていねん》」。諦める気持ちがある。

たとえば、江戸の街は何度も大火に見舞われていて、その都度、人々は財産や家を、あるいは愛する人を失ったわけです。悲しいことですが、いつまでも泣いていては始まりません。「人命は戻りませんが、それ以外は不幸中の幸いと思えばいいじゃないか」と。なくなってしまった財産は、また頑張って稼いで取り戻そう。そういう、いい意味での潔さ。民衆にこの気持ちがあるからこそ、江戸の街は大火のたびに何度も再建している。

先の大戦で、東京は一面、焼け野原になりました。しかし、わずか20年足らずで近代的なビルが建ち並び、高速道路ができ、アジア初のオリンピックまで開催できるようになりました。これはもう、世界中がびっくりしました。もう、日本が50年は立ち直れないと考えていましたから。

石平　今回のコロナウイルスというのは地球規模の大災害とも言えますし、そういうときにやはり日本人というのは立ち直りが早いんです。不幸を誰かのせいにしたり、あれこれ後ろ向きになったりするんじゃなくて、前を見て歩き出す。この精神が日本人にはあるんです。

麻生さんが言った「民度が高い」は客観的事実ですよ。中国のメディアも認めた、日本人の民度の高さです。逆に言えば、中国共産党の幹部からすれば一番の脅威だと思います。

アメリカや中国では災害時には強制力が必要だ

ケント　これとは対照的だったのが、２００５年8月、アメリカのルイジアナ州のニュー・オリンズを、カトリーナというハリケーンが襲ったときの話です。このときは、ニュー・オリンズの8割の地域が水害に見舞われ、48万人の市民に避難命令が出る大惨事になりました。しかし、そのうち10万人ぐらいが避難しなかったんですよ。なんで避難しなかったのかというと、それらの人は貧困層で車を所有していないので手段がなかったんです。そのため、取り残された人たちのために急遽《きゅうきょ》、事前に作成されていた救済計画を実施し始めました。

ところが、計画を作成した連邦政府が予想していなかったことが起こりました。それは社会秩序の破壊、暴動と略奪です。その逃げ遅れた10万人の人たちは貧困層ですし、すぐ略奪行為に走ってしまったんです。そうすると、本当はその人たちを運び出さないといけないのですが、あまりにも治安が悪いので、バスの運転手が集まらなかったんです。バスはあるにはあるんですが、運転手が拒否してしまったんです。

石平　そんなことって、あるんですね。日本ではまったく報道されませんでした。

ケント　結局、どうしたかっていうと、軍を使ったんですよ。米軍でしたか州兵でしたか忘れましたが、軍隊を使って彼らを運び出したんですよ。もう、それしかなかった。これがアメリカの辛いところではありますが、日本では絶対に起きない事態ですね。

石平　そうですわな。中国では都市封鎖とか外出禁止令、あれは全部強制です。要するに、政府の力で、権力で抑えつける。例えば、一つのマンションで、感染者が1人でも出たら、マンションの玄関口を封鎖するんですよ。あるいは、どこかの家で感染者が出たら家のドアを釘で留める。そこまでやる。

ケント　それは中国当局がやるわけですか。

石平　そう、警察がやります。命令違反をすると当然、罰則があります。

例えば、一つの団地で感染者が出たら団地全体が封鎖され、一つの家族につき2日間に1回、1人だけ外出して買い物をすることが許される。しかも、買い物に出るときはまず、団地の住民であるという証明書を提示するんですが、なんでも偽造の国だから、結局、証明書も信用できません。そこで、みんなで合言葉つくるんですわな。住民が外出すのにまず、合言葉が必要なんです。

ケント　「山」「川」というように？

石平　だから私は言うの、「習近平」「バカ」って合言葉にすればいい（笑）。

ケント　一番適切ですね。第一、覚えやすいし。

石平　要するに、日本は要請ひとつで全て十分。罰則も逮捕も監視もいらないの。もちろん、たまに外出したりする人もいるんですが。でも、そういう人たちがギャングになって略奪に走ったりはしないし、暴動も起こらない。

これに関しては、先ほどから民度という言葉で呼んでいますが、要するに、人々の意識、個人の意識の高さと、もう一つは共同体意識が強いんです。

ケント　公の精神ですね。

日本人は根本のところで国家を信用している

ケント　これはさかのぼってみれば、江戸時代から来ているわけですよね。徳川家康が江戸に幕府を開いたのが、1603年。そのとき日本の人口はすでに3000万人に達していたんです。これが日本では物理的な限界なんです。それ以上は、外国と交流しない限り、人口を増やせないんです。つまり、当時の日本列島はそれだけの人口を支えるだけの天然資源と耕作面積しかなかったわけです。

江戸時代に入って戦《いくさ》はなくなりましたから、戦争による人口の減少というものもなくなりました。大地震や大火《たいか》、飢饉《ききん》などもありましたが、だいたい3000万人くらいで推移してきたんです。

人口3000万人を支えるためには、1人のぜいたくは許されないわけですよ。限度まで来ているわけですから、1人がご飯を2杯食べてしまえば、誰かがご飯が食べられなくなってしまうわけです。

そうすると、これはどうしたかっていうと、ムラ社会というものをつくって、そのなかで規則やルールをつくる。もし、それを守らなかったら先ほど石平さんがおっしゃった村八分にされる。そうすると、1人で暮らさないといけなくなりますが、当時の日本は1人で暮らせるような環境じゃないわけですよ。

石平　日本人は基本的に農耕民族ですからね。集団から逸脱すると生産手段がなくなります。また、集団の中で1人が勝手なことをやると、村落全体の存亡にもかかわってきます。暗黙のうちに、集団の意思のようなものができあがってきます。

ケント　ですから、稲刈りも脱穀もみんなで協力してやった。明治維新になって急速に貿易が始まり、豊かになって工業化が進むにつれ、ムラ社会というものが自然となくなってはいきましたが、その意識はまだしっかりとあるんですね。

日本では、共同体はみんなで協力し合うものなんですよ。それは、100年、200年経ってもそう変わるものではありません。

石平　ええ。日本人は、ふだんはみんな好き勝手にやっていますが、いざ危機に直面すると結束し、協力し合う。そういう意味では共同体意識が強いですわな。日本はいろんな意味で危機が多いでしょ？　地震もあって台風もある。外部から何か災害が飛んでくる機会が多い。今回のコロナも、その典型ですわな。

あと、日本人はふだん、いろいろと文句を言ってはいても、根本のところで国家というものを信用しています。たとえば、中国ではあの忌《い》まわしい天安門事件がありました。韓国でも李承晩《りしょうばん》政権のときに済州島そのほかで、何千人という人が共産主義者の嫌疑をかけられ殺されています。光州事件というのもありました。

ほかの国では国家が国民に銃を向けたりするじゃないですか。しかし日本は、そういうことはあり得ません。

ケント　そうですね。日本は絶対にそれをしませんね。

石平　中国人も韓国人も、基本的に国家というものを信用しません。

韓国人は二言目には愛国心だとかウリナラ（韓国語で『わが国』『我々の国』を意味する語）とか言いますが、あれは建前。もしも本心から国を信じているなら、なんであんなに若者が国を捨てるのか（笑）。ちょっと前まで、韓国の若者は、ソウル大などの一流大学を出て財閥系企業に入ることをステータスにしていました。しかし、今は大学を出ても就職できないから、どんどん国を捨てて海外に出ています。アメリカ、カナダ、オーストラリア……。海外で市民権、永住権、できれば国籍を取って、向こうの大企業に勤めるのが新しいステータスになっています。

ケント　韓国の中流家庭では留学に有利だということで、幼児のころから子どもに英会話を学ばせています。「子どもを海外で成功させ、いつか自分もアメリカやカナダに呼んでもらおう」と。そのための投資のように子どもに教育費をかける。なんのことはない、親も国を捨てたがっているんです（笑）。

石平　中国なんて国のトップからして、いつでも国を捨てられる準備をしていますから。共産党の幹部が海外にどれくらい隠し財産を持っているか。数千億円、いや数兆円でもきかないでしょ。

ケント　トランプ大統領は、コロナの落とし前として、それらをフリーズさせる気でいますね。

中国人は国を信じていませんから、いざ巨大なインパクトがあると、自分だけは生き残ろうとして必死なんです。自分しか信用していない。動物的な生存本能だけが前面に出てくるわけです。

石平　日本人は、避難民になっても、援助物資の前できちんと並ぶでしょ？　あれは、国家を信頼しているからです。もし、物資が足りなくて、自分の前でそれが終わっても、「また明日、新しいものが届くからいいや」と思えるんですよ。奪い合わなくてもいいの。

ケント　まったく同感です。よく、リベラルの人や、あるいはシニカルぶった〝中二病の人（中学2年生ぐらいの思春期にありがちな、過剰な自意識を持ったり、理不尽な反抗をしたりしている人）〟が、「俺は国家なんてものは認めない、国家なんかに縛られたくない」とか言いますが、あれは子どもが「パパなんて大っ嫌い！」と拗《す》ねているのと同じです。

そういう人ほど、「国はもっと援助金を出せ」とか言う。国家を嫌いながら、誰よりも国家を頼りにしているんです。

天皇という存在が上にあって、一つの家族をなしている

石平　日本人の共同体意識ね。みんな正しくルールを守って冷静に行動する。一つが国に対する信頼。もう一つ、日本人には人間同士の信頼があるんです。やっぱり、そこが中国と全然違うわけです。

中国というのは、まったくの独裁政権。庶民たちからすれば、政府のやっていることは

自分たちから剥奪《はくだつ》することばかりです。要するに、国民から見れば政府というのは泥棒と同じです。日本人はみんながみんな安倍政権を信頼しているわけではありませんが、国家というものは信じることができるものだと考えています。

ケント　そうですね。国家イコール安倍政権ではありません。安倍政権はここ20年間で最良の政権であるとは思いますが、逆に言えば、最悪だった民主党政権、特に鳩山政権や菅政権はひどかったけれども、彼らに対する不信が国家そのものに対する不信にはつながりませんでした。「いつか、この政権は終わるはずだ。次の選挙で政権交代させてやる」と国民が思うことができますから。

なんというか、政権イコール国家でもないし、国家イコール国でもない。国家の上に国があるという安定感がある。

石平　それはやはり、言葉を換えれば、天皇陛下ということになりますな。この天皇陛下という存在をふだんは誰も意識していません。しかし、いざとなると、やはり天皇陛下を頂点とした一種の国家体制が頼りになる。最後には頼りになる。ですから天皇陛下というのは国そのものなんです。

ケント　日本の天皇というのは独特の存在です。これを外国人に説明するのは、ちょっと難しい。天皇というのは、決して、西欧的な意味での「王様」ではありません。英語では「JapaneseEmperor」と書きますが、「皇帝」ともニュアンスが違います。おっしゃるとおり、国というのが一番近いかな。あるいは国体ですか。しかし英訳は不可能ですね。「Country」でも「State」でもない。国体をNationalPolityと翻訳しますが、それでは意味が伝わりません。やはり、日本語で「クニ」がしっくりと来る存在です。

石平 それから、人間同士の信頼感。中国では人間関係において、根本のところで信頼感がありません。たとえば、自粛をお願いしても、「どうせ隣のやつは外出しているだろう。俺だけ自粛しているのはバカみたいだ」となるのが中国人。「列に並んだら損をするだけだ」と考える。

ケント 「公」の意識が中国にはないですね。「国」という意識も実は希薄です。「国」イコール「中国共産党」ですから。愛国心というのは、中国では共産党に対する忠誠心に過ぎません。表向きはどうか知りませんが、愛国心があるわけがありません。

中国の歴史を見ると、何度も国が潰れて王朝が変わる。そのたびに民は焼け出され、路頭に迷っているわけです。当然ながら、現在の中華人民共和国だって、いつかなくなることを中国人は知っています。

石平　そうです。日本人はもっと、ほかの国の歴史を勉強して、「国家を信じることができる」ということのありがたみを知るべきです。

ケント　中国人にとっては、すべてが自分とその一族なんです。地縁も強いのですが、これは互助《ごじょ》として成立しています。ギヴ&テイクですね。国を信用していませんから、銀行というものも信用していません。

たとえば、外国に定着した華人は、地縁でつくった地下銀行や無尽講《むじんこう》のようなものでお金を融通し合います。秘密結社や黒社会の類も多いですね。国を信じられないから、疑似家族的なつながりが濃くなります。ただし、裏切り者に対しては大変冷酷な仕打ちが待っています。

石平　日本では、そういうものはないですね。全国民にいわば、一つの家族としての意識共有がある。要するに、天皇家、皇室という存在が上にあって、一つの家族をなしています。これは今ケントさんのおっしゃった、ヤクザの世界の人工的な疑似家族とはまったく次元の違うものです。神話の時代からずっと同じ家の人、同じ家族の人というね。

日本には、中国やヨーロッパのような王朝の交代はありませんでした。豊臣から徳川、明治政府と、政権の交代はあっても、万世一系の皇室はえんえんと続いています。クニ（国）としての背骨があるから、体制が変わったとしても大きな混乱はありませんでした。これは世界史的に見ると、すごいことですよ。

第二章

ウィズコロナの時代に日本は世界をリードせよ

甘えの構造がある日本人は危機管理がなっていない

ケント　日本人の共同体意識というものを、私も非常に素晴らしいと思っているのですが、反面、どうせ、「誰か」がやってくれるだろうという国民的な依存症状態をつくりだしているようにも思えるんですよ。日本人の共同体意識には、そういう悪い面もあります。「誰か」――誰がやるかというと、無能の役人がやるわけですよね。結局なんとかはなるんですが。

石平　なんとかはなるんです、日本という国はね。確かに、それでここまで来たんです。自民党は相変わらずの自民党ですし、野党は万年野党ですし。黒船級のショックがないとなかなか変われないんですよ、この国は。

ケント　国民の依存体質というものをどうにかしなくても、日本はなくなることはないし、やはり日本というブランドは世界に確固たる存在ではありますが、世界をリードしていく国にはなれません。

今回、思ったのは、国が給付金を払うじゃないですか。それを迅速にもらうためにはマイナンバーカードを持っている必要があったんですが、多くの人がカードをつくっていないんですね。通知は来ていますが、カードはつくっていない。カードがあれば、そのままオンラインで登録して給付も早かったんですが、それができなかった。

それでみんなどうしたかというと、慌てて役所に走ってマイナンバーカードを申請したんです。今、こんな大変なときに。役所にしてみれば、給付金の振り込みだけで大変なのに、マイナンバーカード申請の処理にも追われる。結果、給付金の振り込みも遅れることになりました。

全体を通しても、行政改革が完全に遅れているわけですよね。誰かがしてくれる。なんとかなる。すべては役所の責任だ。どこか人任せ。効率性をあまり考えない。しかし、役所の効率を上げることは、ひいてはみんなのためになるでしょ？　誰だって給付金は早く欲しいに決まっているわけですから。公共心や他人に対する思いやりを忘れない日本人が、こういうときに限って、不特定多数の隣人について思いがめぐらないんです。

石平　マイナンバーカードが浸透しなかったのは、戦後、日本の行き過ぎた左翼的個人主義の風潮もひとつの原因だと思います。自分の個人情報を国に預けたら、変に利用されるんじゃないかとか、そんなないらないない心配ばかりしている。それこそ、軍国主義になるとか全体主義になるとか、左翼とそれに操られたマスコミが大騒ぎしていますから。

ケント　右左には関係なく、高橋洋一さんに確認しましたが、一番反対したのは脱税したい人たちでした。ただ、日本の左翼マスメディアが国民を洗脳したというのは確かです。何か常日ごろから「改革、改革」と言っている左派ほど改革を嫌うのが、この国です。何か行政改革をしようとするときに、とにかく「反対、反対」で潰してしまう。本来なら、マイナンバーと確定申告をつなげておかなければいけないわけですよ。そのためにつくったものなんですが、いまだにできていません。

何かのために備えるという思考ではないんです。そこが依存症っていうか、のんきっていうかね。そのあたりが日本人に足りない部分だという感じがしますね。

石平　先ほどの話ではありませんが、左翼というのは、国家と個人との二項対立を仮定することで、常に権力者側を悪者にして、個人の権利を主張してきたわけですよね。

今、街に行けば、どこでも防犯カメラがありますが、少し前までは、カメラを設置するだけでもマスコミは大騒ぎでした。監視社会になるとか、個人の行動がすべて管理されるとか。しかし、防犯カメラがどれだけ街に増えても監視社会になんてなりませんでした。

逆に、犯罪捜査に非常に貢献しているんですよ。

ケント　「個人情報」という言葉に異常なほど過敏になる一方で、ツイッターなんかで「○○なう」とか自分の居場所まで晒《さら》しているのが現代日本人でしょ？　スマートフォンなんかの位置情報のデータで、何時何分どこにいたのかも全部わかってしまう。キャッシュレス時代といっているけれど、どこで何を買ったか、すべてデータとして残っているわけですよ。

日本人は、昭和の、まだ人々の生活のなかに「隣近所」というものが機能していた時代、何軒先の誰々さん家の家族構成から、今晩のおかずは何かまで、それこそ個人情報が筒抜けの社会でなんの問題なく生活してきたわけです。もちろん、行き過ぎは問題ですが。

石平　給付金が振り込まれるのが遅いとか批判するのもまた左翼の連中で、要するに、マイナンバー制度に反対して給付を遅らせた犯人が、給付が遅いと不満を言っている。つまり政権批判をしたいだけなんですよ。

今回の騒動は、日本の課題として今ケントさんが指摘したように、もう一度、国民と国家の関係、あるいは、行政を、どのように効率化させるかということを考えるいい機会だと思います。

私は先ほどから「日本はすごい、すごい」と褒《ほ》めてばかりのようですが、はっきり言って日本の政治はそんなに褒められたものじゃないと思いますよ。コロナウイルスが発生してからの政権の一連の対策は、誰から見ても一流じゃない。全部、後手、後手でしょ。今こそ、先手、先手と行かなければならないときに。

たとえば、海外からの渡航者の入国規制にしても、先進国のなかでは非常に遅かったんです。党内のどうしようもない媚中派の連中とつき合わせをしなくちゃいけないという苦しい立場もあったのでしょうが、安倍首相の求心力が落ちたとしか思えません。いろんな意見を足して2で割ったり4で割ったりしなくてはいけない、日本の悪《あ》しき政治システムが原因です。しかし、それを打ち破ってでも、安倍さんが先頭を切って陣頭指揮を執《と》ってほしかった。「最終的な責任は私が取る。だから今は、これで突き進め」と言ってほしかった。

いろいろな政策や措置はほかの先進国と比べれば遅かった。しかし、それでもコロナ禍からひと息つけているのが、奇跡だと思うんですよ。

ケント　まさに奇跡です。

石平　今、ケントさんがおっしゃったように、効率の悪い行政機構があって、しっかりしない政権と政府があっても、なんとかなったわけですね。私は別にこの本で安倍さんを批判するつもりはありませんが、ある意味では安倍さんも、しょせん危機の際の宰相《さいしょう》ではなかったということですわな。要するに、危機に際して何か的確に、迅速に、決断するタイプの指導者ではないということが露呈してしまいました。

では誰が危機対応型のリーダーにふさわしいかというと、それも思い浮かびません。はっきりいえば、自民党も野党も平和ボケが続き過ぎたんです。

日本人は江戸時代から教育の平均値が高かった

ケント　今回のコロナ禍でアメリカは渡航禁止に関して、西海岸は早々と実行しましたが、東海岸が遅れたわけです。結果的に、それが感染拡大につながったと私は思っています。

ニューヨーク市は3カ月間、完全なロックダウン状態となりました。アメリカのGDPの8パーセントを占めるニューヨークが、3カ月も経済が止まる。さらに、アメリカの中小企業の4分の1ぐらいは倒産するほどのダメージだそうです。これは、本来なら復活しないほどのレベルですが、幸いにしてリーマンショックのときと違って、もともと経済が極めて健全な状態でした。給付金はありましたが、長期的な援助ではない。しかも、企業に関しては、給料分の補償だけですからね。そういった事態が現在アメリカで起こっているのを知りながら、日本はのんきっていうか、「きちんとした政策を決めて実施していこう」という姿勢が私には見えませんでしたね。

石平　要するに、何が言いたいかっていうと、官僚機構、行政機構も決して効率のいいものでもなければ、決して政治判断の素早い国、あるいは、きちんとした経済政策ができる国でもない。しかし、それでも結局、何か目に見えない力で日本の国民は行動して、結果的に今の段階では最大の危機から逃れたんです。ニューヨークが大変な事態になったとき、テレビで無責任な専門家たちがよく言っていたでしょ。「2週間後の東京は現在のニューヨークになる」というような国民の不安をあおる発言を。

ケント　言っていましたね。なんだかよくわけのわからない人が、疫学の専門家面《づら》をしてテレビでしゃべりまくっていました。2週間後にはニューヨークだ、1カ月後にはミラノだとしきりに言っていましたが、そんなことが起こるわけがない。日本のほうが先にコロナ問題が起きていたのですから、大変な事態になるのであれば、すでになっていたはずですから。

石平　結局、2週間経っても何も起こらない。そうすると、その〝専門家〟は同じことを言う。「2週間後の東京は今のニューヨークだ」。2週間経って全然ニューヨークにならずに済んだのに、また同じことを言う。えんえんと言うつもりか（笑）。

ケント　ならなかった。

石平　ケントさんがおっしゃるように、ニューヨークと日本ではまったく状況が違うし、民情も違う。

ケント　ニューヨークと日本では、別の意味において依存的な部分も確かにありました。しかし全体的に、みんな正しく行動して自粛して、できるだけ人と接触しないように気をつけた。接触すると、もし自分がキャリアだった場合、ほかの人に感染《うつ》して、相手が大変なことになるという想像力や、繰り返しになりますが、国民のお互いに対する信頼感、共闘意識、国家に対する信頼感が日本にはあった。そういうものが、複合的に作用して、どうにか危機を乗り越えたのではないかと私は思っています。

ケント　それは確かですね。「神を敬い、神に頼らず」という言葉がありますが、同じように、「国家を信じ、国家に甘えず」が大切です。国家を信頼して、危機に瀕してもパニックにならない。しかし、何から何まで国家がやってくれると依存してはダメなんです。

石平　もうひとつ、さっき、ケントさんのお話で出た大事なキーワードは、やっぱり、「清潔」ですわな。別にコロナがあったから衛生にやかましくなったのではなくて、日本ではふだんの生活の中に衛生観念が溶け込んでいました。

ケントさんはアメリカ出身で、私は中国出身。やっぱり、特に中国の生活習慣と比べると、日本は断然、清潔です。私が毎日、風呂に入るようになったのは日本に来てからです。中国ではひと月に1回ぐらい。そもそも、あのころ、中国で毎日、風呂に入るというような、そういう環境は誰にもありませんでしたから。街もゴミ、しかも生ゴミだらけ。日本人は生ゴミもむやみには捨てません。

ケント 昔、次男夫婦がしばらく東京で私と一緒に暮らしたことがありました。その嫁は、日本ではなんでゴミを捨てる前に洗うのかと思ったそうです。牛乳パック、弁当箱、缶詰など、ごみ箱に入れる前に水洗いをし、生ゴミはポリ袋に入れて捨てます。今となっては、彼女はそのとき理解できなかったことがよくわかるようになったと言っています。

石平 外出から帰ったら、手もちゃんと洗います。実は私、個人的に言えば、きちんと手を洗うようになったのはコロナ以後なんです。もちろん、今までも風呂には毎日入っていましたが、手はあまり意識して洗ったことはありませんでした。風呂に入るとき、洗うぐらいで。今では神経質になって1日に5、6回ぐらい洗わないと気が済まない。やっぱり、毎日手を洗うと気持ちがいいんですよ。

ケント　それはわかります。日本で生活すると、意識しなくても清潔好きになってきます。

石平　やはり、清潔性は、日本の一種の伝統なんです。先ほどのケントさんのお話でも江戸時代について触れた部分がありましたが、日本の歴史を調べれば調べるほどすごいと思える記録が出てきます。

たとえば、幕末に日本を訪れたイギリス人の外交官で、ラザフォード・オールコックさんという人がいます。彼の著書（『大君の都―幕末日本滞在記』・岩波文庫 上中下）を読んでみると、江戸の街並みを見て、「よく手入れされた街路があちこちにあって、ときおり乞食を見かけることを除けば極めて清潔であって、汚物が積み重ねられて通行を妨げるというようなことはない」というようなことが書いてあります。日本では当たり前の光景です。驚くようなことではありません。彼は当時のイギリスと比べていたのかもしれません。

『大君の都―幕末日本滞在記』・岩波文庫 上中下
オールコック（著）、山口 光朔（翻訳）

ケント　イギリスは、まだその時代にはゴミや汚物は窓から路上に投げ捨てていましたよ。ですから、汚物を踏まないために女性がハイヒールを履《は》くようになったらしいんです。男性も帽子をかぶるのは、そのためなんです。

石平　そうか。上から何か飛んでくるから（笑）。

ケント　さらに言えば、女性が道の内側を歩いて男性が道側を歩くわけでしょ。

石平　それはジェントルマンだわな。たしなみってことになっていますよね。

ケント　それは、上からものを投げ捨てても、いくら何でも真っすぐには落ちないからね。内側にいると、女性は守られるわけですよ。

石平　イギリスはそういう衛生状態だったから、ペストも流行った。

ケント　ペストは江戸時代のだいぶ前ですが、江戸時代でもヨーロッパ全体を通して衛生状態が非常に悪かったんです。おまけに、当時のヨーロッパの識字率は非常に低かったんですよ。日本は江戸時代、すでに識字率はダントツの世界一でした。農民も読み書きができて、論語を諳《そら》んじたりしていたんですから。民度というのは、衛生観念だけの問題ではなくて、識字率の高さ、つまり教育も基準に考えなくてはいけません。しかも日本語の場合、漢字、ひらがな、カタカナを組み合わせるわけですから、とても複雑です。これを使いこなせるだけでも、日本人は柔軟な頭脳を持ち、平均的な教育の程度が高かったんだと思いますよ。

だからこそ、髷《まげ》に刀を差した侍の時代から一足飛びに明治維新を成し遂げ、近代化を進めることができたんです。強兵はともかく、富国ができたのはそのためですから。

石平　毛沢東は、「農民は搾取された階級だから、地主を倒して解放されるべき存在だ」と言いました。しかし結局、今の中国で農民は、都市生活者と戸籍で区別されて土地に縛りつけられ、搾取の対象になっています。内陸の山奥の農民なんか、それこそ読み書きのできない人がいっぱいいいるわけです。支配者からすれば、搾取の対象は愚民であったほうが都合がいいんですから。

先のオールコックさんは、日本のことを「これほど農民が幸せそうで豊かな国は、ヨーロッパでは考えられない」とも書いています。よく時代劇に出てくる過酷な年貢に苦しむ水呑み百姓のイメージって、かなり特異な事例を戯画化しているか、あるいは左翼的な階級闘争史観で書かれたものではないかと思えてなりません。

どちらにしろ、日本人というのは平均値が高い。農民は字が読めたし、算術もできた。その底力があるからこそ、敗戦後の混乱から世界のトップクラスの先進国になることができたわけです。

ケント　しかし、最近、ちょっと日本はその点、能力が落ちているように思えるんですね。最新のテクノロジーに関していえば、もう遅れている。たとえば、まだ判子《はんこ》を使っているでしょ。電子決済が主流になろうとしているのに。

石平　それも少しずつ変わっていきますよ。日常はクレジットカードやペイペイで済ませて、逆に判子は持っているとおしゃれということで、若者の間で流行ったりするかもしれません。

江戸時代から上下水道があった

石平　オールコックさんは、こんなふうにも書いています。

「これは私がかつて訪れたアジア各地の、いや、ヨーロッパの多くの都市と、不思議ではあるが気持ちの良い対称を成している」

　日本で彼が見た風景については、そのころから第2次世界大戦の直前まで在日したイギリスの外交官夫人であるキャサリン・サンソムという人が、こう書き残しています。

「東京の森の多さ。街路樹に沿った家々は木の成長の邪魔にならないように、道から１メートルほど下がった所に立っています。多くの通りには街路樹が植えられていますし、数多くの神社、仏閣には手入れの良い木があって、大都市東京は何とか庭園の雰囲気を保っています」（『東京に暮す　１９２８―１９３６』・岩波文庫）

ケントさんのお話にもあったように、江戸時代にすでに水道があるんですわな。神田上水とか玉川上水。要するに、江戸の水はちゃんときれいな川から引かれて、みんなでそれを使っていた。神田上水が日本で完成されたのは１５９０年です。しかも、上水だけじゃなくて、67キロにわたる水道があって、その頃、江戸の町の中には縦横に鮎の泳ぐ光景があったんです。

『東京に暮す　1928 ― 1936』・岩波文庫
キャサリン・サンソム（著）、大久保 美春（翻訳）

素晴らしいのは、上水道だけじゃなくて、下水道もちゃんとできていたということです。要するに、ドブですね。各家から出た生活排水がドブに排出される。しかも、各家庭が出した下水がすでに江戸時代には糞尿としっかり分別されていました。江戸時代の糞尿は下肥《しもごえ》として大事な商品となっていたんです。

ケント 肥料になるから。元祖リサイクル事業ですね。

石平 要するに、あちこちに捨てる糞尿はないのよ。むしろ、たとえば長屋があるでしょ。長屋のみんなの出した大と小は、大家さんに届けると財産になるんですわ。

田舎の人が定期的に汲み取りに来るんです。その代わりに、野菜とか動産物で代金として払ってくれる。ですから、江戸の下水は糞尿がいっさい入ってないんです。糞尿は下肥として田舎へ運ばれていって、また肥料として使われる。江戸時代に究極のリサイクル・システムができ上がっていたんです。

江戸は100万人都市でしょ。あの頃のロンドンよりもパリよりも大きい。しかも、清潔。みんなちゃんと風呂に入っていましたし。銭湯も賑わっていました。銭湯は人々のコミュニケーションと憩《いこ》いの場でもありました。楽しいので一日に2回銭湯に行く人もいたくらいです。ふつうの湯のほかに、季節の薬湯《くすりゆ》もあり、たとえば、桃湯《ももゆ》、桑湯、それから端午《たんご》の節句には菖蒲湯《しょうぶゆ》。いろんな湯が楽しめました。このあたりは、調べれば調べるほど興味深いし、調べ始めると、きりがなくなります。

ケント　でも、ひとつ問題がありました。水道がすべての家に入っていないわけですから、庶民は井戸を使っていました。井戸をトイレの横に掘っていたんですよ。このあたりの知識はなかったわけですよね。

石平　あのころは、そういう概念がなかったんですね。

ケント　それが、チフスなどの病気の原因になりました。

石平　井戸は、長屋の住人がみんな使いますからね。

ケント　汚水処理も考えた本格的な下水道の普及に関しては、戦後の日本は遅かったんです。全国に下水道が敷かれたのは1980年代の後半からです。私が初めて琵琶湖に行ったとき、行政の方に聞きました。「ここ、下水道があるんですか」と聞いたら、「いや、まだですね」との答え。これは1985年ごろの話ですよ。

「では、汚水はどうしているの？」と聞いたら、「そのまま琵琶湖に垂れ流している」と言っていました。

「えー、嘘でしょ。みんな、あそこでウインドサーフィンして、よく病気にならないね（笑）」と。

今は琵琶湖も、すっかりきれいですけれどね。

本格的な下水道は１９８０年代以降、急ピッチで、ほぼ全国に整備したんですよ。考えてみたら私の小学生時代、うちの近くにユタ湖という湖があって、あそこも垂れ流ししていましたよ。私が小学2、3年生のときに、連邦政府から補助金をもらって、下水処理場をつくったことが大きな話題になりました。汚水処理も考慮に入れた下水道に関しては、日本はアメリカに大きく遅れていましたね。

石平　70年代以前、東京都内の河川は本当に汚かったそうですね。企業が垂れ流す工業廃液や生活排水がそのまま流れていって、悪臭を放っていたと聞きました。80年代を境に浄化作戦が開始され、魚が戻ってくるまでになりました。今では、日本の水質浄化システムは世界トップレベルで、輸出されていろいろな国で重宝がられているようです。

日本人には病気恐怖症の傾向がある

ケント　面白いのは、西洋の文化で決定的な基準というのは善悪ですよね。つまり罪の文化。他方、日本の文化の基準は、〝きれい汚い〟です。

石平　それはよくわかりますね。キリスト教でいう「罪」と神道の「穢《けが》れ」。「穢れ」は仏教的な言葉に置き換えると「不浄」でしょうか。

ケント　穢れたものを祓《はら》う。不浄には近づかない。この精神文化というか、伝統的な価値観が、今回はプラスに働いたと思うんですよ。しかし、私が一つ気になってしまうのは、やはり日本人の依存的な体質です。

私から見ると、日本人の多くは、英語で言うところのｈｙｐｏｃｈｏｎｄｒｉａｃ（ヒポコンデリー）、心気症の傾向が強いのではないか、と思えてしまいます。国民皆健康保険制度のおかげで医療費が安いので、年間、病院に行く回数が平均20数回だそうです。ちょっとしたことで病院に行くのが癖になっている。一方、アメリカ人は年平均6回程度です。われわれアメリカ人は風邪をひいたら、寝ておけばそのうち治ると考えています。病院に行っても行かなくても同じころに。だから、あまり行きません。医療費が高いのも影響しています。

でも、日本人はすぐお医者さんに行く。また依存症と言うとあれですけれど、依存してしまうんですよね。

石平　たしかに、日本は医療費が安いということにはプラス面もマイナス面もありますね。

ケント　「医者」という権威に依存している側面もあります。しかし、コロナ騒動のなかで、海外の人が日本の国民皆保険制度を知ると、とても驚くわけです。アメリカだと、65歳未満の人なら、原則、民間の保険に入るしかありません。例えば、盲腸の手術で80万円くらい取られます。だから、ちょっとした病気なら市販薬を飲んで寝て治そうということになってしまいます。特に、貧困層になれば、お金もないから、死ぬ病でもなければ、なかなか病院に行こうとはしません。行きたくても行けないのです。それがアメリカの貧民層にコロナウイルスが広まった原因の一つだと思います。

石平　中国ですと、ご承知のとおり、アメリカと同様に救急車で運んでもらうにもお金がかかります。正規の料金のほかに、運転手へのチップを用意しておかないと、ちゃんと病院に運んでくれるのか不安なんです。それに比べれば、日本の医療制度や保険制度というのは、しっかりしています。たぶん、安心度でいえば世界一だと思います。

ケント　同感です。ただ、そのことによって、病院に行けばなんとかしてくれる、という医療への依存気質ができあがっているのではないかと心配になります。

これに関しては、マスメディアも悪いと思いますよ。パニックを先導するような報道をしてきたわけですから、国民が今でも非常に恐怖感を抱いているわけですよね。

石平　「原発怖い」報道もそうですが、マスメディア、とりわけテレビは安心より不安を売りにしたがりますな。そのほうが視聴率もとれるし、政権批判にもつながる。放射能もウイルスも、目に見えない恐怖ということでは一緒です。どのようにでも誘導できる。「大丈夫、安心してください」と政府が言っても、「きっと、政府は何かを隠しているに違いない」と思わせる方向に持っていくわけです。

ケント　目に見えないから怖い、というのでは幽霊と同じです。でも、放射能やウイルスは幽霊ではありません。幽霊は測定不能ですが、放射能やウイルスの脅威は数字で見ることができます。要は、科学的なデータに基づいて、正しく恐れることが必要なんです。

石平　そのとおりですわな。依存症ということでいえば、日本人はまだまだメディア依存症的なところがある。テレビに出ているコメンテーターや自称専門家の言うことはすべて正しいと思い込んでいる層が一定数います。

ケント　今年のプロ野球は開幕が遅れました。巨人の選手2人が検査で微妙な陽性反応が出て大騒ぎになりました。再検査したら陰性だったんですが。このナンセンスで神経質な部分が日本の国民性のちょっと気に入らない部分ですね。

石平　ケントさんでも日本のプロ野球を見るんだ。

ケント　もちろん。アメリカの大リーグもね。

感染状況と経済のバランスを取るのが政治家の仕事

ケント　たしかにアメリカでも専門家の権威に弱い人もいるし、逆に専門家だから柔軟なものの見方ができない人もいる。

アンソニー・ファウチ博士という人がいます。国立アレルギー感染症研究所（NIAID）の所長で、免疫学とアレルギー学の権威といわれた大変有名な人です。この人が言ったんです。「私は、医療専門家で科学者です。経済のことは知りません。私に言わせれば、来年の学校も休んだほうがいいと思う」。来年っていうのは、つまり、今年の9月から次の5月までですよ。「さらに1年以上、学校閉鎖しなさい」と言った。これで国中のお母さんたちは悲鳴を上げてしまって、もうこの人の言うことを聞かなくていいというふうに流れが変わってしまった。

石平　そんなことが起きたら教育現場は崩壊しますよ。

ケント　これで彼は信用を失ってしまったんですね。

このファウチ先生、コロナの終結宣言を出して経済を復活させたいトランプさんの言うことにいちいち反対意見をぶつけて混乱させてきた人です。トランプさんが、「若年層に重症者は少ない。学校を再開すべきだ」と言えば、「児童や学生にこそ自宅待機と検査が必要だ」といった具合に。

石平　アメリカも左派メディアが幅を利《き》かせているのか、どちらかというと、ファウチ博士が良心的な学者で、経済優先のトランプが彼の声を黙殺しようとしている悪、という報道ぶりでしたね。

ケント　しかしファウチ先生は、最初のうちは中国からの渡航制限には猛反対していたんですよ。武漢肺炎自体、単なるインフルエンザみたいなものだということで、マスクをしなくてもいいと主張していた人です。それなのにだんだん話が変わってきて、いつごろからか、「このままいけば、死亡者は200万人に到達する、だから、絶対に外へ出るな、会社に行っちゃあダメ、学校も行っちゃあダメ」と意見が変わってきた。

いちおう、連邦政府の健康専門家のトップですから、政府も含め、みんなが従ったわけですよ。彼の意見を受けてトランプさんは、3月13日に急遽、国家緊急事態宣言を出したんです、ニューヨーク州でまだ死者が1人ぐらいのときに。トランプさんはイースター（2020年は4月12日）までには解除したい意向でした。日本が緊急事態宣言を発令したのは4月7日でしたね。その後はアメリカでは実際には大変で、4月16日に数カ月かけて経済を再開するためのガイドラインを発表し、この内容を基に各州知事の判断で段階的に緩和を進めていくことになりました。

石平　本当にアメリカは大変でした。

ケント　それはどうしてかと言いますと、中国からの経路は早々に遮断したんですが、ヨーロッパ経由で（ウイルスが）入ってくるということに気づくのが遅かったからです。それで、特にニューヨークあたりはすごい被害を受けてしまって。

国際的には、ニューヨーク＝アメリカというイメージがどうしてもあります。もう、アメリカ全体がコロナウイルスにやられたというような報道のされ方でした。しかし、アメリカといっても広いんです。私は同じアメリカ人でも西部の人間なんで、ニューヨーク合衆国ではないんだぞと言いたいですよ。アメリカ合衆国ですから（笑）。

ニューヨークは大変でも、うちのユタ州は被害としては、大したことはなかったんですよ。州全体で感染者は4万7521人で、死亡者が378人です（8月20日現在）。感染者の多くは、違う州から来たスキー場の客などです。平均年齢が全国でも低い州なのが好条件でした。８月18日から新学年が始まり、教室での教育を再開しました。

トランプさんは早々と解除の意向を示したわけですが、なかにはバカな記者がいて、記者会見で報道官にこう聞くんですね。「解除し始めるとして、それで感染者が増える可能性がある。選挙までに、何人死んだら許されると思っているんですか。その数を出してください」と。するとトランプさんは、「バカな質問するな、アホ」みたいな答え方をしたんです。本当は１人でも死んだら困るんですが、経済封鎖をすることによって、別の原因で死ぬ人がいっぱい出るんですね。

石平　そうです。日本でもそうでしたね。「なぜもっと早く非常事態宣言出さなかったんだ」と言ったかと思ったら、今度は、「このままでは経済が破綻してしまう」と政策を批判してみせる。「地方の観光業界が大変なことになる」と言っていたキャスターがまっさきに「GO　TOトラベルキャンペーン」をクサす。そして、まずは責任論をぶつけて出鼻をくじくわけです。こういうことばかりですから、政府も腰が引けて身動きがとれなくなります。よく左派は、「安倍首相は独裁者だ」と言いますが、独裁者なわけがありません。もしも本当に独裁者なら、今回の騒動はもっとスムーズに前へ進んでいるはずです。

ケント　ロックダウンで長い引きこもり生活の結果、ストレスで自殺する者も出ますし、家庭内暴力はものすごく蔓延し、「コロナ離婚」なんて言葉も生まれました。要はバランスの問題なんですよね。このバランスを取るのが政治家の仕事のはずなのに、アメリカも日本もそうなんですが、初期段階では科学者の話ばかりを聞いたわけです。実は科学者も何もわかってはいなかった。言っていることがコロコロ変わりました。ウイルスの真実がわからなかったからです。いろいろなことを把握していないのも無理もありません。中国が情報を公開しないからです。ボクシングの試合を観客席から見て、やれ「ジャブだ、回れ」と、わかった気になって好き勝手に言う、にわか拳闘ファンみたいなものです。決してボクサーのトレーナーではないんです。

防疫や医療ももちろん大事ですが、経済も大事です。ですから、ようやく安倍さんの対策委員会に経済関係者が入ったわけですよね。トランプさんは早々に経済の専門家を入れておいて、科学者の言うことを聞くには聞くけれども、「そのうち収束するでしょう。今はいかに経済の回復を考えるかです。アメリカはその段階に来ている。経済の回復にはそれなりの時間を要します。だから、早く取りかかるに越したことはない」と考えていたわけです。

怖がらなくても日本人の底力でコロナに対抗できる

石平　コロナの第1波は何とか乗り越えて、第2波もそんなにたいしたことはないと私は思っているんです。マスコミは東京の感染者が連日×00人を超えたといっていますが、死亡者数と重症者数は累計でもそんなに増えていません。陽性者と発症者は別のカテゴリーとして考えなくてはいけませんね。

なぜかマスコミは、退院者数や自然治癒した人の数は大きく発表しません。これに関しては意図的なものを感じますね。

コロナ肺炎が病気ならば、経済崩壊もコロナ禍が生んだもうひとつの病気です。

今のケントさんの問題提起は、要するに、極端に自粛し過ぎると経済が悪化して、そのなかでさらに多くの人々が別の意味で命や生活を失うということですね。ですから、私はこの本を出す一つの意味が、多くの日本の人々を、もっと日本社会の力を信じましょうよと元気づけることだと考えています。

ケント 底力ですよね。

石平 ええ。自分たちの力を信じましょう。「極端にコロナを恐れるのではなく。ただ怖い怖いと言っていたら、幽霊を怖がっているのと同じで。幽霊を捕まえてみたら枯れ尾花かもしれませんよ」と。

日本はすでにコロナと対峙《たいじ》し、これと戦う知恵は十分あると思います。あとは覚悟だけですね。この知恵をふつうに使うのです。それは別に特殊能力でもなんでもない。先祖から引き継いだ生活文化のなかで自然に身につけた知恵です。

ケント 知恵と知識は違います。知恵というのは、必ずしも学校で教えてもらうものではないですからね。

石平 おそらく、日本社会のなかで生活人には誰でもこういうような力、コロナと戦う知恵があり、ふつうに知恵を使って生活して、電車に乗って適度に飲みに行って、それで経済活動を行って。それで、全体が良くなる。

ケント 「飲みに行って」は余計かもしれない（笑）。

石平 ジャパン・ミラクルという言い方は、とりようによっては失礼にも聞こえます。ミラクルでもなんでもない、日本人がふつうにやってきたことで十分にコロナに対抗できる。

これからは世界が日本式をスタンダードにしなくてはいけません。

ケント　麻生さんの民度発言にしても、多分にジョークを含んでいたと思いますよ。よく知っているアメリカの官僚との間で「おたく、ずいぶん死者が少ないよね。なんか魔法の薬とかあるのかい?」「薬じゃないけどさ、そもそもウチは民度が違うから」というやりとりだったんじゃないのかな。おそらく、このあとは笑いながら、お互いの労をねぎらったりしてね。アメリカ人はこういう返し方を好みますから。こういった気の置けない会話を英語でできる麻生さんは、大したものですよ。

石平　一般的なイメージとして、日本人は話が硬くてユーモアが足りないと言われますからな。そういうところから見て、アメリカとの親密さや連携の良さをアピールする、いいエピソードにも思えます。それが日本のマスコミにかかれば、なんでも政権批判になる。

マスコミは不要な不安を煽るだけの存在だ

ケント　日本のマスコミの仕事の一つは、国民に不満と不安を与えること。そのほうが、視聴率が稼げるし、発行部数が増えるからです。

「政府の補助のあれが足りない、これが不十分だ。このままだと失業率が上がりそうだ」まず不満をあおる。そして不安、もっとわかりやすい言葉で言えば恐怖。放射能が怖い、ウイルス感染が怖い。基本となるデータも出さず。そのくせ、「尖閣諸島周辺に機銃を備えた中国公船がウヨウヨして怖い、北朝鮮のミサイルが怖い」という報道はほとんどなくて、代わりに、「オスプレイが墜落するかもしれないのが怖い」(笑)。国民はそれにだまされているような気がします。というか、だまされ続けてきているから、だまされ慣れしていて、流されてしまっているような。

「ものを怖がらなさ過ぎたり、怖がり過ぎたりするのはやさしいが、正当にこわがることはなかなかむつかしい」

寺田寅彦のこの言葉を、今こそ噛《か》みしめてほしいですね。

石平 究極は、「憲法改正すれば、戦争になるから怖い」(笑)。わけがわかりませんな。

ケント 福島第1原発の処理水をいまだに海に流せないのはどういうことでしょうかね。あれもマスコミのつくった風評被害そのものです。処理水は世界的な基準から見ても、まったく安全です。トリチウムが少し入っていますが。ソウル市内の水道よりも放射能濃度はずっと低い。福1の処理水が危険だというメディアは、韓国旅行に関しても「健康被害の危険性があるから止めるべきだ」と報道すべきですよ。

だから、私は処理水なんか、夜中にそっと排水しちゃえばいいと思っているんだ。マスコミにばれないように（笑）。

石平　それを言っちゃうと、さすがにまずいでしょ（笑）。

ケント　もっともアメリカのメディアも似たところがあって、世論は自分たちがつくるものだという驕《おご》った考えがある。大衆はバカだから、いくらでも自分たちの意見に従わせることができると高《たか》をくっているんです。典型的なのは、いわゆるイエロー・ジャーナリズムというやつ。基本的に彼らは戦争が好きなんですよ。

ピューリッツァー賞というジャーナリズムの賞があります。大変、権威のある賞として認知されていますが、この賞の名前の由来となったのが、ジョセフ・ピューリッツァーというユダヤ系のジャーナリストで実業家。もう一人、映画『市民ケーン』のモデルとして知られ、「新聞王」とも呼ばれたウィリアム・ランドルフ・ハーストという男がいます。この二人がイエロー・ジャーナリズムの両巨頭。19世紀の末、ピューリッツァーのニューヨーク・ワールド紙とハーストのニューヨーク・ジャーナル紙は読者確保のための熾烈《しれつ》な競争を繰り返していました。煽情的な見出しと誇張、ときにはフェイク記事も辞さない紙面づくりで、読者の下世話な好奇心を刺激して部数を伸ばしてきたのです。
　アメリカの軍艦がハバナ沖で謎の爆発事故を起こすと、ピューリッツァーとハーストは、自身の新聞を使って、スペイン人の仕業であるかのような無責任な記事であおりたて、ついに米西戦争（1898年）にまで発展させてしまいました。この戦争で両紙はそれぞれ160万部という驚異的な部数を誇るほどになったのです。
　後年、対日戦争をあおったのも、彼らイエロー・ジャーナリズムでした。戦争が始まれば始まったで、日本軍と日本人をことさら邪悪で冷酷な悪魔のように捏造したイメージの報道を繰り返し、戦意高揚の役目を担ったのです。
石平　そうですね。
ケント　今やCNNもイエロー・ジャーナリズムに成り下がりました。いや、創業以来の昔からです。トランプ大統領が中近東から軍隊を引き上げようとすると、猛烈に反対するでしょ。それは戦争ネタが一つなくなってしまうからです。
石平　トランプ暴露本を出版したジョン・ボルトン元大統領補佐官も、トランプ大統領との衝突のきっかけは、イラン戦略での意見の齟齬《そご》でした。タカ派のボルトンはイケイケ派でした。そういえば、アメリカのメディアは、ボルトン解任では、どちらかというと彼に同情的でしたね。戦争を回避したいトランプには冷ややかでしたが。

ケント　ただ、暴露本も単なるボルトンの私怨《しえん》の産物に過ぎず、下馬評ほどにトランプ再選の痛手にはならないと思います。むしろ、トランプ政権がいかに日本を、安倍政権を重要視していているかがわかる本です。

それはともかく、マスコミが自分たちの利益のために、不満と不安をあおって国民の心を動かし、世間を動かそうとすることに、非常に私は腹が立つんですね。アメリカ、日本にかかわらず。

だから、今回のコロナ騒ぎでも、感染力が強かったのは確かにありますが、ここまで経済を止める必要があったのかどうか。まあ、結果論と言えばそれまでなんですが、今回の日本の例を見てみると、そんなにしなくても大丈夫だったのではないかと思えてきます。少なくとも死者数を見ると、通常のインフルエンザよりもはるかに少なく済んでいます。日本は世界のなかの一つの理想的なモデルになると思います。

ひるがえってアメリカはどうだったか。ニューヨーク市なんて3カ月も家を出てはいけないことになっていたわけですよ。そうするとどうなるかというと、ストレスが極みに達し、何かのきっかけで集団ヒステリー状態を生む。暴動や略奪が起きるわけです。

石平　全米を揺るがしていた、黒人暴動がそうですね。その実態は一体何でしょうか。

ケント　1人の黒人青年が白人の警官によって死に至らしめられた。これは確かにひどい事件ではありましたが。しかしそれ以前に、民衆のフラストレーションが溜まりに溜まっていたんです。

彼らが街に出るだけで警官に呼び止められる状況だったわけですし、給料の補償といっても、1カ月分だけだったりして、商店主なんかはお先真っ暗な状況が続いていて、毎晩眠れない夜を過ごしている。彼らだって精神的にも経済的にも肉体的にも、永遠に我慢することはできません。

それに早々とトランプさんは気づいていたんですが、それぞれの州の知事、特に民主党が支配している州の知事と市長が、まだまだ恐怖を訴えるわけです。アメリカの左巻きのマスコミがまた、それに同調して騒ぐ。「もし経済活動を再開したら感染がさらに広がり、死者が多数出る」という具合に。それをずっと言い続けるわけです。トランプさんが決定し、ゴーサインを出したのに。前言撤回できないことを知っていながら。

なぜ、それを言い続けるかといえば、簡単ですよ。彼らが狙っているのは経済の規制を解除したことによって、感染者が一挙に増えることなんです。それを祈っているんですよ。それをトランプさんの失策ということにして、大統領選の敗北へと導くことができると思っているからです。これが彼らの切望している戦略なんですよね。ひどいですよ。

石平　そういう意味では日本の左翼より、さらにたちが悪いと言えますね。

ケント　ものすごくたちが悪いですよ。ナンシー・ペロシ下院議長とチャック・シューマー上院院内総務。この二人は民主党で両議会のリーダーでしょ。なのに、ＡＮＴＩＦＡやＢＬＭの略奪と放火について、批判の声を一度たりとも上げていないんですよ。人々の財産が奪われ、命も奪われ、レイプも起こっているというのに。

むしろ暴動が続くことによって、トランプ大統領の指導力のなさがアピールできると思っていた。ですからこういう姑息なことをやっていたわけですよ。

無警察状態ではみんなが自衛するしかない

石平　私はそういう状況が逆にトランプの再選に有利になると考えていました。

ケント　私もそう思います。トランプさんが再選されると思いますよ。

石平　大半のアメリカ人はああいう暴動を見ていて、「じゃあ、民主党の大統領に任せたらどうなるんだよ」という考えは働くと思います。おそらく、民主党政権になれば、無政府、無警察状態がもっと加速すると考えるはずです。

ケント　アメリカ国内では暴動や放火が起きたわけでしょ。あろうことか、民主党の勢力の強いミネアポリスの市長は警察に、「暴徒に対して何もするな。逮捕も、いわんや発砲もせず、彼らの好きにさせろ」と言ったんです。「もし警官が襲われたら、手を出さず、そこから退去しろ」と。そういうふうに指示したわけですよ。そのために、警察署が占拠されて、焼かれました。

これはつまり、暴徒が正義で、警察権力が悪であると市長が主張しているのと同じです。こんな倒錯した話がありますか。

そうすると、警察は暴徒とは戦わないということがみんなわかったわけです。警察は市民を守ってくれない、と。そこで起こった現象は何か。アメリカ中の銃砲店で現在、銃の品切れ状態が続いているんですよ。

石平　みんなが銃を買う。

ケント　そう。自分の身は自分で守らなくてはいけないという簡単な結論に至った。アメリカにいる私の長男も銃を買ったと言っています。もう、西部開拓時代にタイムスリップですよ。

石平　それが、アメリカの現実なんですな。こんなことでは、銃を規制するのは無理だという話になってしまう。

ケント　アメリカのニュースで見たのですが、いつも200丁近く在庫を置いている銃砲店で2丁しか残っていなくて、弾丸も品切れなんだそうです。

アメリカの憲法修正第2条で銃を持つ権利が保障されているわけでしょ。それとは別に、銃を規制すべきではないかという声も強くあって、国民の意見が真っ二つに分かれているわけですよ。乱射事件があるたびに銃規制を強化しようという波は起こるのですが、結局、実施できなくて今日に至っている。

全米ライフル協会が共和党の票田だから、共和党が銃規制を阻んでいるんだという話もありますが、問題はもっと根本的なところにあります。最低限、自分の命は自分で守るという、開拓時代以来の精神文化です。今回の暴動で、それが前面に出てきて、誰も否定できなくなってしまいました。もはや、「銃を規制すべきか否か」という議論は、これで10

年先まで進まなくなると思います。

石平　警察が解体されれば、そうなってしまいますね。結局、銃規制を潰しているのは、ＡＮＴＩＦＡを持ち上げているリベラルなんだ。

ケント　無警察状態のあとに来るのは無政府です。無政府主義、アナーキズムというのは、観念の中だけでは成立しえます。誰もが法や公権力に縛られず、自由自律の中で秩序を保つ世界、そんなものが現実にあるとすれば、それこそ国民全員が、日本人の１００倍民度の高い世界でなくてはなりません。そんなユートピアは、お花畑の頭の中にしか存在しません。しかも、そのユートピアをつくる手段が暴力なのですから、これは明らかに矛盾しています。

石平　民主党の連中は結局、大統領選を意識して、コロナの暴動も全部大統領選に利用したいんでしょうね。しかし、暴動まであおり立てて大統領選に利用するとなると、結果的に、もはや人種問題とは関係なく、アメリカの良民、ふつうに生活して安定した生活を望む白人も黒人も最後、みんな心の中で「トランプに投票しようよ」という話になるのではないかと思うんですよ。

ケント　常識的に考えればそうなりますが、民主党の一部は、トランプさんを選ぶなら無政府状態のほうがまだましだと考えるほど、トランプさんを心から嫌っています。民主党のリーダーたちは、そういう暴力を批判していないわけですから、そういう結論になります。したがって、今回の選挙の大きなテーマは、Ｌａｗ ａｎｄ Ｏｒｄｅｒ（法と秩序）になっています。

石平　幸い、日本ではその手の暴動というのは起きそうにありません。わけのわからないデモは多いですけれどね。芸能人が国会前や首相官邸の前で騒いだりしていますが、あれは、キャリアの終わった芸能人が自分の居場所を求めて、あるいは健在ぶりをアピールしての、一種のプロモーションにしか見えませんね。芸能人が政治的な主張をしてももちろんいいわけですが、あまりにも無知で底が浅い。

ケント　例えば、リチャード・ギアのように、ハリウッドから半ば追放状態になることを承知で、中国共産党のチベット弾圧を告発し続けるような覚悟があれば別ですが。

石平　最近はツイッターを使って、安倍政権やトランプの悪口をつぶやいて一部から喝采を浴びる芸能人もいますが、彼らは決して中国共産党の人権弾圧に対する批判はしません。もししたとしても、事務所が止めるでしょう。中国で営業できなくなりますから。

まさに武士！　自衛隊のすごさを再確認した

石平　ミネアポリス市は、全米に広がった暴動の発端となったジョージ・フロイド事件が起こった場所です。そのため市議会がデモ隊の暴挙に屈して、市警の一時解体を宣言したときは本当にびっくりしましたね。日本ではまず考えられないし、想像外の出来事でした。ワシントン州シアトルでは暴徒と化したデモ隊が警察署を占拠、自治区を宣言し、警察を排除しました。しかし、占拠した側も自活できずに、とうとう銃撃により2人が死傷する事件が起こり、7月23日に市長の命令で強制退去させられました。

ケント　日本の刑事ドラマでも本庁と県警の葛藤が描かれたりしますが、アメリカの場合、国に対して、それぞれの州や市の独立性が高いんです。

石平　びっくりしたというのは、あくまで日本人としての感覚からすれば、ということですが。思えば、中国はむろんのこと、東南アジアでは警官が被疑者や違反者にワイロを要求するなんて当然の話です。たいがいの犯罪は、ワイロ次第で大目に見てくれるということとです。かと思えば、先進国であるフランスでも警察官のストライキやデモが公然と行われています。世界を見渡せば、無警察状態というのは、けっこうあるんです。一瞬のものも含めて。

それらに比べて、日本の警察システムがいかに安定したものであるかを痛感します。何かあって110番すれば、すぐに来てくれる。日本人は国家を信じているという話にもつながる話です。警察のことを、国家権力の犬だとか、税金泥棒だとか、悪しざまに言っている人ほど、実は警察を信用しきっています。いざとなったら頼りにしています。そもそも、どんなに悪態をつこうが、日本の警官の銃口が自分に向くことはありませんから。

ケント　どこの街にも交番がありますしね。道も教えてくれるし、このシステムは非常に素晴らしいと思います。

石平　どんな凶悪犯相手でも基本、丸腰で対処するのが日本の警察官です。警官が発砲しただけで大騒ぎになるのですから、ちょっと気の毒にもなる。

ケント　災害のときは、自衛隊が本当によくやってくれています。今世紀になって、日本は2011年の東日本大震災を筆頭に、大災害続きでしょ。今年の7月も、熊本を中心に南九州が集中豪雨に見舞われましたね。そのつど、自衛隊の活躍には頭が下がる思いです。

石平　いまだに共産党なんかは自衛隊を違憲扱いして不要論を言っていますが、国民の間では、かなり認知された存在になりました。

ケント　そうですね。アメリカの場合、各州に州兵があって、大災害や警察では手に負えない大事件のときに、知事の裁量で動員することができます。連邦の施設（連邦裁判所、国立公園等々）が襲われたとき（暴動、テロなど）には、連邦の警察（DEA，ATF，FBIなど）が出動してその施設を護ります。知事の要請は要りません。米軍自体は、知事の要請があれば災害に使えますが、基本的に自国民に対する取り締まりはできません。

石平　やはりアメリカのような広大な国ですと、いざというときにある程度、自立して対処しないと遅くなりますからね。州兵となると、機動力がありそうですね。

ケント　今度の暴動で、トランプさんが各州に州兵を出すよう要請しましたが、拒否する州知事もいました。いらだったトランプさんは「言うことを聞かないと軍を送り込むぞ」と言い出しましたが、これは憲法違反だと強い批判を浴びました。

石平　ありましたな、そんなこと。

ケント　ニューヨークのクオモ州知事は要請を蹴《け》りました。この人はもともと司法畑で、民主党。どちらかと言うと、トランプさんのやり方がいちいち気に入らないという人ですね。

石平　それぞれ役割が違うから比べることはおかしいのですが、アメリカはとうとう軍にまで感染者を出してしまいましたね。自衛隊はダイヤモンド・プリンセス号の船内に入って活動しても一人の感染者も出さなかった。これは奇跡ですね。のべ４９００人の隊員が活動しているのにもかかわらず、ですから。

各自治体からノウハウを教えてくれと言われて、防衛相が公開しましたけれど、ゾーニング（清潔・非清潔ゾーンの区分）の徹底化のほかは、マスクに触るときは手指を消毒しろとか、外すときに触れるのは、ゴムの部分だけといったことで、特別なやり方があるわけではありません。もっとも、それをわれわれが完全に真似るのは難しい。ついうっかりとか、これくらいでいいや、が通用しないのが自衛隊の世界。自分だけではなく、ほかの人の命を預かっているのですから。改めて、頭の下がる思いです。

ケント　あの密閉された船内で感染者を出さず、無事に任務を終えたということは、実に不思議であり、あっぱれなことだと感激しますね。素晴らしいです。武士だと思いますね。

一方で、アメリカは空母の乗組員から感染者を出していますが、実に恥ずかしい話です。あれは、どういうことかってわかっているでしょ？

石平　え？

ケント　停泊していた港街の風俗に行っているんですよ。そこでもらってきたらしい。そんな無責任なことでどうするの！　ホント、頭に来ますね。

石平　日本という国家はいざとなると、最後にみんなが頼りにするのは自衛隊です。ふだん、自衛隊の存在を否定する左翼もいざとなったとき、自衛隊に守ってもらうしかありません。自衛隊の活動は効率も良く規律も正しい。ある意味では、自衛隊そのものも日本社会の縮図だと思います。

ケント　そこが昔の武士なんです。日本人に欠けているのは、軍人、兵士に対するリスペクトの念。これはタカ派だろうが、平和主義者だろうが、世界共通です。どこの国の国民も普通に持っているものです。

アメリカの場合、軍人がレジの列に並んでいると先を譲ったりするのは当たり前です。映画館などでは割引もありますし、レストランで軍人が食事していると、すでにほかの人が代わりに会計を済ませているということも珍しくありません。日本も戦前まで、そうだったといいますが、戦後はＧＨＱの洗脳があったせいか、ガラッと変わってしまいましたね。だいたい、自衛官が外出するのに制服を着てはいけないなんていうのはおかしい。

石平　自衛官の不祥事とか、些細なことでも、大事件のように報道しますからね。たしかに心がけの悪い隊員もいるでしょう。しかし、社会一般よりよっぽど犯罪率は低いんじゃないですか。

　自衛官の不祥事を激減させる方法は、ただひとつ。今、ケントさんのおっしゃったように、兵隊さんに対する尊敬の念を子どもたちに教えること。自衛官だって、子どもたちの尊敬の対象だという自覚があれば、そうそう不道徳なことはできませんよ。

　幸いなことに最近、自衛官との結婚を希望する若い女性が増えているそうです。これも災害救助で、自衛隊の活躍が認められた証拠でしょう。

日本人は消費や投資をもっと増やすべきだ

ケント　これから経済を再開するにあたっての大きな問題は、消費が少ないということです。日本人には、「無駄遣いをしない」「お金を貯めるのはいいことだ」という意識があります。特に不景気が続くと、その傾向は高くなります。お金を口座に貯めて、そのまま忘れてしまったりもします（笑）。
質素を旨《むね》とする日本人の特性は、確かに美徳の部分もありますが、お金というのは人間でいえば血液です。血液は常に循環していないと、動脈硬化を起こします。脳溢血や心筋梗塞の原因となります。お金も同じで、必要以上に貯めこんでいるだけだと、いつまでも経済が前に進みません。デフレが続きます。どうせ貯めるなら、投資信託とか不動産とかの投資に回すのもいいと思います。

石平　それもひとつの経済活動ですよね。

ケント　たとえば、10万円の給付金にしても、使わないで貯金に回すという人がかなりいると思うんですよ。先行きの不安というのはわかります。でも、１人10万円で、４人家族なら40万円でしょ。経済を早く回復させるために、できる限り消費に回してほしい。
アメリカにいる私の息子は５人家族で、政府から４５００ドルをもらいました。それを全部、株に投資したそうです。そうすると、ここ２、３週間で３５００ドル程度の儲けになったそうです。

石平　株に投資すれば、経済は回るわけですからね。

ケント　そうなんですよ。だから、日本の消費者がきちんと消費してくれるといいなと思いますね。

石平　こういうときだからこそ、家で本を読むとか。出版不況と言われて久しいし、ぜひ本を買ってほしいですな。真っ先に、この本を（笑）。

ケント　日本の場合、失業率が欧州などに比べて高くないというのが救いですね。

そういう意味では、アメリカもやや回復傾向を見せています。コロナ以後、一時は17パーセント台にまで失業率が達し、6月には20パーセントを超え、さらに750万人が失業するだろうと予測されていたのですが、蓋を開《あ》けてみれば、増えるどころか減っています。8月14日現在、失業率は10・2パーセントに戻ったんですよ。

黒人層の失業率に関していえば、トランプ大統領時代になってからは最低の数字になりました。これで黒人層のトランプ支持率がグンと上がったんです。けれども、日本のマスコミはそういう部分の報道はいっさいしません。相変わらず「トランプは、人種差別主義者でタカ派だ」という印象操作報道ばかりです。コロナ禍で、確かに黒人層の雇用も相当な打撃を受けましたが、オバマ時代の失業率に戻っただけの話。今後、暴動騒ぎがひと段落すれば、徐々に回復していくでしょう。

石平　トランプはヒューストンの中国領事館を閉鎖したり、イギリス、フランスに呼びかけてファーウェイ包囲網を敷いたり、対中姿勢を明確にしました。物理的な戦争というのは、そうそう起こらないと思いますが、ある種の疑似戦時体制と言ってもいい。こういうときは、よくも悪くも国がまとまるし、それに付随して、経済も回っていくんです。

ケント ええ。ひょっとしたら、アメリカの経済回復は意外に早いかもしれません。航空会社は予約が立て込んでいるそうですよ。荷物検査のコーナーはすごく混んでいて、一度に処理できないから、乗客を緑と赤に色分けして、時間帯もずらして対応しています。むろん、分けるのはクラスター対策の側面もありますが。

やはりね、ずっと引きこもりを強《し》いられていたから、夏のヴァケーションくらいはちょっと遠出したくなるのでしょう。

石平 アメリカの航空会社の株価が急に上がったのは、そういう裏事情もあったのですか。それまで下がりっぱなしだったぶん、反発もあったでしょうが。

ケント 航空会社の株はどこも40パーセント上がっています。先日、ボーイングも上がったし。アメリカン・エアラインズも40パーセント上がったでしょ。私の長男はそれらの株を買って、かなり利益を得たと言っています。必ず戻ると計算していました。

石平 先見の明がありますな。

ケント　石油会社の株も彼は買いました。歴史的な原油安が続いていますが、だから今のうちに買うと言っていました。戻るのにはかなり時間がかかるでしょうが、そういうやり方も投資のひとつの方法です。

医療関係者も自衛隊も頑張って成果を上げた

石平　ケントさんがおっしゃるように、日本で失業が少ないのは、日本の企業はリストラをやりづらいという環境にあることも要因ではないですか。制度的にも、人情的にも。

ケント　緊急事態宣言が出た後でも、わが家の近所では「いきなりステーキ」はやっていたんです。聞くと、「明日からしばらく閉店」だという話でした。店員さんが言うには、休業中も店が、給与の6割を補償してくれるそうです。

　これが日本の企業なんですね。人材を確保するために、全額は出せないけれど、6割はどうにか補償しましょう、という考え方です。

　雇用調整助成金の制度がありますから、企業の負担も少なかった。その後、政府も頑張っ

2020年5月29日、航空自衛隊のブルーインパルスが医療関係への感謝の意を込めて東京上空をデモンストレーション飛行をし、多くの人々が感動した。

て100パーセント補償にしました。

石平　そういう意味では日本社会が会社も個人も含めて、みんなこの数カ月間、奇跡的なほどの頑張りを見せた。だから、今ケントさんがおっしゃったように、これからむしろ、もう一つの展開が必要ですね。

この数カ月、日本人は自分たちの力を信じて、大パニックは起こさなかった。重篤な医療崩壊も起こさなかった。

ケント　重大な医療崩壊は今後とも起きないと思いますよ。ヨーロッパなんか、発病していない感染者や軽症者をどんどん入院させてしまったおかげで医療がパンクしてしまいました。日本の、いたずらに検査を増やさない、重症者を最優先させるやり方が結果的によかったんですね。もちろん、現場の医療関係者の献身的な働きも忘れてはいけません。自衛隊に対してもそうですが、最前線で命を賭《と》して働く人々へのリスペクトがもっと欲しいですね。

石平　その意味では、5月29日、航空自衛隊のブルーインパルスが医療関係への感謝の意と称して、東京上空をデモンストレーション飛行したのは非常によかったですね。例によって一部の左翼は難癖をつけていましたが、医療関係者を含む大多数の国民は素直に感激したようです。ちょうど五月晴れで青空が広がっていたのもよかった。自衛隊のいい広報活動にもなりましたしね。

闘いながら経済も社会も活性化させる「日本モデル」を

ケント　コロナ・ショックでひとつプラスの作用があったとするなら、国民に自覚を促したということでしょう。ワイドショーの、お笑い芸人がしたり顔でする解説や自称専門家の扇動に乗ることなく、決してパニックにならず、冷静に情報分析して適切に行動した。

これは自信を持っていいことだと思います。「教授」という肩書を持った人だって大した専門家ではない。テレビによく出るような人はプロダクションに所属するタレント教授というケースも少なくありません。ああいう人たちは、弁も立つしキャラクターもあるから、テレビが重用するだけです。本当の免疫学や医療の専門家なら、そんなテレビに出ている暇なんてありません。

でも、そのなかでわかったことがいくつかあるんですよ。一つは、お年寄りの問題。やはり、高齢者は感染すると発症リスクは高くなるし、重症化もしやすい。ですから、お年寄りを守りましょう。

ヨーロッパでは老人ホームでのクラスター感染で大変なことになっています。収容者のお年寄りから介護スタッフまでもが感染し、二次感染の危険性から医療機関の人間がなかなか入れず、遺体もそのままベッドに寝かしておくしかない状況だったという話を聞いたことがあります。日本の老人ホームはもともと、インフルエンザなどへの対応がきちんとしていますから、感染はほかの国よりも少なかった。しかし、今後はさらにご老人が感染しないように気を配るべきです。

手を洗う、マスクをするとか衛生面に気をつける。これも覚えました。それを確実に実施しましょう。しかし、必要以上に怖がって引きこもりになってしまっては駄目だと思いますね。

石平　このコロナ、当然、どこの国にとっても災害であって不幸であるわけですね。日本人も死亡者が少ないとはいっても、大事な命も失われた。誰から見ても、とんでもない災難です。しかし、一つの国家、民族はさっきも話したように、災難に際したからこそ底力が発揮される。真価が試される。日本人は、日本社会は、直面した大きな試練に耐えた。ケントさんが今おっしゃった、自覚と自信がこれで醸造されたと思います。

日本にもう一つやってほしいのは、今後の世界、あるいは、ヨーロッパに対してもアメリカ対しても、モデルを構築すること。恐らく、このウイルスは永遠に消えることがないかもしれません。場合によっては、永遠にわれわれの生活の中にあるかもしれません。もうウイルスがわれわれの生活の中にいるという前提で、闘いながら、さらにわれわれの経済も社会も活発化させる。

日本にはそういったモデルをつくってほしいんですよ。要するに、「ウイルスを抑え込んだ、よかった」だけでなく、そのモデルを世界に提供する。何事も控えめで、自画自賛を嫌う日本人ですが、これは進んでやるべきです。人類のためなのですから。日本にはできる。日本がやらないと、中国がその手柄を横取りし、「俺たちがコロナを抑え込んだんだ」と言い出しかねません。

ケント 現に、それは言い始めていますからね。イタリアやフランスに、不良品の検査キットやすぐ破れる防護服を恩着せがましく送ったかと思えば、今度はウイルスに苦しむ南米諸国に資金援助すると言い出しています。マッチ・ポンプで救世主になろうとしていますが、さすがにもうどこの国もだまされません。

縄文時代から衛生観念が発達し、民族同士の争いもなかった

石平 ここで、もう少し具体的に日本モデル、つまり、日本発のウィズコロナ時代のライフスタイルを構築していきましょう。

やはり、その根本をなす哲学は日本の神道的なものにあると思います。神道はキリスト教ともイスラム教とも異なり、教義もほとんどありません。経典と言えるものもありません。善悪も語りません。いわゆる西欧的な宗教——つまりは一神教の父権的かつ厳格な戒

律とはもっとも遠い存在です。

神道を宗教と呼ぶべきなのかどうかは異論があるかもしれませんが、それはさて置いて、神道が大事にする一つのキーワードは要するに、洗い清める。禊《みそぎ》ですな。祓《はら》う。要するに、穢れを洗い落とす。

ケント　まったくそうですね。

石平　穢れというものにどう対処するのか。たとえば、神社に入る前にまず手水舎《ちょうずや》で手を洗う。神道の世界観からすれば清い心。清いものを保つために穢れを取り除くんです。「穢れ」は「汚れ」とも書きますな。私からすれば要するに、ウイルスです。

ケント　まさに「穢れ」であって「汚れ」です。

石平　ばい菌であり、ウイルス。そういう意味では、今回のこのウイルス対策が日本でなんとなく成功した。理由のわからない奇跡に成功した。その理由の一つがやはり神道というか、日本民族が古代から受け継いできた清めの心にあると考えます。

考えみればば昔からそうだったんですよ。例えば、縄文時代。調べてみたら、結核という病気はずいぶん古くから、知られる限りでは石器時代からありました。それなのに縄文時代の遺跡から見つかった人骨には一例も結核の痕跡が見つかっていないんですよ。

ケント　確かに、それはすごいことです。

石平　あるいは、ペストもヨーロッパで猛威を振るいました。中国でも大変でした。しかし、日本はそれほど大きな被害には遭わなかった。コレラも同じです。

青森県の三内《さんない》丸山遺跡には縄文時代の大集落跡があります。住居が大小、780軒。集落に2000人規模の人が住んでいた計算になります。この集落が何年続いたと思いますか？　1500年ですよ。縄文人が80世帯で1500年間にわたって同じ場所で生活していた。

ケント　それはつまり、大きな疫病がなかったということですね。

石平　そうです。疫病が流行れば、一発で集落を維持できなくなりますから。縄文人は狩猟のほかに、ゴボウやエゴマなどの栽培を行っていましたし、集落にはちゃんと共同のゴミ捨て場まであったそうです。

ケント　その当時から、ある程度の衛生観念があったということですね。おそらくは、集団生活の中で学んだんでしょう。古代の知恵ですね。

石平　それから驚くことに、縄文人の遺骨を調べたら、他者による外傷で死んだ人はいなかった。

ケント　殺人や争いがなかったわけですね。

石平　要するに、斬られたり、矢で射《い》られたり、戦争で死んだ人がいなかったということです。それが1500年も続いたということ。これは人類の歴史のなかでも珍しいことではないかと思います。

ケント　いわゆる部族という観念がなかったんですね。言い換えれば、人間はみなきょうだいだという意識です。部族ができれば、必ず部族間闘争が起こり戦争になります。

石平　ご存じのようにコロナはむろん、あらゆるウイルスが広まる最初の要因は、森林の破壊です。それは悲しいかな、人類が文明というものに目覚めるのと同時に、環境破壊の歴史が始まるのです。

　まずは、農耕社会が森を破壊する。森を破壊して畑をつくるわけですから。自然破壊というのは言いすぎかもしれませんが、生態系を変えてしまいますね。近代文明が始まると、さらに森林や山に人間の手が入っていくことになります。そういう森を破壊して自然を破壊したために、ペストやコレラなどのいろんな疫病が発生しました。

　そして、次は大航海時代。新大陸やアフリカの風土病がヨーロッパに持ち込まれ、世界中に広まりました。一説によれば、梅毒はコロンブス一行が持ち帰ったと言われています。

ケント　大航海時代は、侵略と植民地と奴隷貿易の始まりでもあります。その意味でいえば、梅毒などの疫病をヨーロッパに持ち帰ったのも、逆に天然痘などの疫病をヨーロッパから南北アメリカ大陸に持ち込んだのも、天罰と言えるかもしれません。

石平　日本も鎖国をしていた時代は、そんなに大きな伝染病禍というのはありませんでした。やはり、中国大陸やヨーロッパとおつき合いができてからですよ。大正時代、スペイン風邪の大流行で、日本では統計により数値が異なっていますが、最大で38万人の死者を出しています。ちなみに日露戦争の戦死者が8万4000人、関東大震災の死亡者は10万5000人ですから、いかにすさまじかったか、ということがわかります。ただ、このときも世界と比較すると、日本の死者数は少なかったんです。世界の平均では感染した人の10パーセントから20パーセントが死亡したと推定されていますが、日本では0・7パーセントから最大でも1・6パーセントでした。世界的な大流行が3波まであったそうです。

ケント　第1次世界大戦を終了させたのはスペイン風邪だとも言われていますね。

石平　日本が起源の伝染病って、ありましたっけ？

ケント　蚊を媒体とする日本脳炎くらいですか。東南アジアで一時、流行しましたね。ただ、これに関しては現在は予防接種でほぼ100パーセント防ぐことができます。

石平　中国が発生元の疫病は多いなあ。スペイン風邪も中国起源であるとする説が有力です。ペストの起源は諸説ありますが、その中には当然、中国説も根強く残っています。シルクロードのキャラバン（商隊）によって、中近東、それにヨーロッパに疫病が運ばれていったという説です。

ケント　コロナウイルスは、さすがにシルクロードのキャラバンではないけれども、中国に行き来する人間によって飛行機などでほぼ全世界に運ばれていきました。

出稼ぎ労働者を介してアフリカにもウイルスを持ち込んでいるんです。ここまで世界中に迷惑をかけても、習近平は一帯一路構想を諦めていません。

ふだんの生活がウイルスに対する予防になっていた

ケント　戦後しばらく、死因の第1位は結核で、2番目が肺炎で、3番目が胃潰瘍でした。4番が心臓病と脳梗塞。意外に思われるかもしれませんが、ガンは5位くらい。もっとも当時、胃潰瘍とされていたものも、現在の医療ではガンと診断されるケースもあると思いますが。それはともかく、当時、結核がどれくらい怖い病気だったかわかります。結核も国民の栄養事情の改善とともに予防が進んで、どうにか抑え込むことができました。ガンも不治の病とは言えなくなってきています。

ところが、肺炎というのは抗生物質だけでは必ずしも完治しないんですね。下手をすると癖になってしまって、通常の風邪でもすぐこじらせて肺炎を再発させてしまうわけです。そういう人が、コロナウイルスに感染して肺炎を患ってしまうと、かなりの確率で亡くなってしまいます。ですから、そういうリスクが高い年寄りや持病のある人は、厳重注意をする必要があります。

石平　結局、ガン死といわれる人の多くも、直接の死因は肺炎だったりするんですね。ガンの手術には成功したものの、抵抗力の弱まっているところに院内感染で肺炎になってしまうケースが多いと聞いています。外から菌が運ばれることも多いから、術後しばらくはお見舞いも控えたほうがいい。

ケント　日本のガン治療というのは、基本的に抗ガン剤を投与するというやり方です。抗ガン剤はともすると体の免疫系統を破壊してしまうんですよ。ですから、基本的にアメリカでは、少なくとも私の知り合いのなかでは、抗ガン剤治療を受けた人は二度と飛行機に乗りません。なぜかというと、免疫系統がもうメタメタの状態ですから。飛行機の中というのは、もう完全に密の空間。感染している乗客の一人がくしゃみをしてしまうと、2分以内に全員が感染していると言われています。

ですから、抗ガン剤治療を行っている人が飛行機に乗るのは相当、危険なのです。そういう人たちがコロナウイルスになってしまえば、早めに手を打たないと大変な事態です。ところが、なんの手を打つのか、これもまだ決定的な治療法が開発されていません。

結局、どの薬にも勝るのは予防ですよ。常日頃から病気しないように心がける。日本に感染者数が少ないのは、意識して予防していたわけではないでしょうが、ふだんの生活が予防になっていたからでしょう。

早い時期に火葬を取り入れていたのも疫病に強い理由

石平　歴史的に見て、日本に大規模な疫病被害が少なくて済んだ、もうひとつの理由に、早い時期に国策として火葬を取り入れたことを挙げる識者もいます。これによって、伝染病者の遺体からの感染リスクが激減したということです。

火葬は仏教伝来とともに入ってきたといわれ、女帝である持統天皇が最初に火葬に付《ふ》された天皇であるとされています。火葬自体は仏教も含めたインド思想です。

神道的な水の清め、仏教的な火による浄化。水と火が穢れを祓う、まさにこれが日本の穢れ文化ですね。もっとも、遺骨を拾って、お墓に納めるというのは、本来の仏教のやり方とは別で、先祖崇拝の儒教の考え方をミックスした日本流です。インドでは焼いたあと、遺骨はガンガー（ガンジス河）に流すのが理想だとされています。

ケント　西欧に関していえば、ジュリアス・シーザーが死後火葬にされました。ご承知のとおり、キリスト教やイスラム教では、死後の復活がありますから、遺体を燃やしてしまう火葬は好まれません。イスラム教徒では絶対のタブーですね。しかし、アメリカやヨーロッパで火葬を希望するクリスチャンも少しずつですが増えています。どちらかというと、やはり進歩的な考え方の人に多いようです。欧米の火葬の場合、骨を粉砕し粉にした状態で森や海、川に撒くのが主流で、基本的に埋葬はしません。派手な場合はヘリコプターで自分の経営している農場に撒いたりする人もいたりします。イギリスは比較的、火葬が普及しています。イギリスでバラ園というと、遺骨を撒く場所と相場が決まっているようです。

石平　中国では、劉少奇《りゅうしょうき》や周恩来《しゅうおんらい》が本人の希望で火葬にされています。もっとも、死後、政敵に墓を荒らされ遺体が辱めを受けないようにという意味もあってのことですが。死者に鞭打って復讐するのは、中国や朝鮮の文化です。いい例が、西太后《せいたいこう》の墓。国民党の手の者に暴かれ、副葬品が全部盗まれたほか、おぞましい話なのですが、一説によれば、遺体が凌辱されたそうです。

ケント　それはさておき、火葬がコロナを含む伝染病の二次感染のリスクを低くしているのはまぎれもない事実でしょう。イタリアでは、聖職者に感染が広がって死者まで出し大騒ぎになっていますが、彼らは感染者の臨終や葬儀に立ち合って罹患したわけです。ローマ法王は、「コロナを恐れるな」と聖職者が臨終の儀式を行うことを激励《げきれい》しましたが、結局それが仇になってしまいました。ローマ法王のおっしゃったことは宗教家としては正しいのかもしれませんし、亡くなった聖職者たちをある種の殉教者扱いする向きもあるようですが、現実社会の問題としては不正解でした。

石平　日本では葬儀関係者で感染したケースはありません。そこは、ノウハウが徹底しているようです。遺体は特殊な袋に入れて納棺し、遺族でさえ触れないようにしているそうです。もちろん、病院との連携もしっかりやっています。

こういうことはちゃんと広報して、要らぬ風評被害を避けるべきですね。海外では、医療崩壊ならぬ葬儀崩壊も起こっているといいます。

ケント　武漢では感染爆発発生直後、移動式の焼却炉を何基か導入し、フル稼働で死体を焼却処理しているという情報もありました。彼らにとっては、火葬も証拠隠滅の手段に過ぎないと思うと、少しぞっとしますね。それでも間に合わず野焼きをやったという話でした。

石平　一般のプラスティックごみと一緒に処理したともいわれていますが、あの国ではありうる話です。もちろん、日本では、医師が死亡診断書を書き、それに則《のっと》って火葬許可書を出します。例によって、無責任なワイドショーが、「日本のコロナ感染死亡者数が少ないのは、（コロナ死亡者を）通常の肺炎死亡者として行政処理しているからだ」とか言っていましたが、そんなことはあり得ません。

ケント　それに関しては、本職の葬儀屋さんが自身のＹｏｕＴｕｂｅではっきり否定していましたね。とにかく、死とか葬儀にまつわる話題は都市伝説が独り歩きしがちです。

石平　日本の火葬炉のシステムが、またすごくてね。一度燃やした煙を再度燃焼させることで、煙も臭いもほとんど出ません。最新鋭の都市型の火葬炉と言えます。これなんか、メーカーがどんどん輸出すればいいんですよ。

それも含めて、今後は、火葬という文化もウイズコロナの日本スタイルとして、世界から見直されるかもしれませんね。

自然との調和こそが日本人の精神文化の源泉

石平　日本人の縄文時代から受け継いできた伝統と、その伝統を継承した日本の宗教的観念と、生活習慣。これらが日本をコロナウイルスの恐怖から救いました。

別に世界中の人にみんな神社で拝めとは言いませんが、恐らく、外国人もみんな神社に来てみてやっぱり、清々しい気持ちになります。日本人はみんなとりたてて神様を信じているわけではありませんが、自然と神様を感じています。そこがやはり、トップダウン的な一神教の神様とは違うところだと思うんですよ。上から命令されるのではなくて、振り向くと、そこに神様がいるという。

ケント　ヨーロッパもキリスト教以前の信仰はそれに近かったかもしれませんね。妖精やアニミズムの世界。キリスト教が入ってきて、それらを全部、異端、異教として排除してしまいました。薬草の知識のある女性たちを「魔女」にしてみたり。

石平　人間は理解できないものに恐怖を感じますからな。薬草をこねて薬をつくったりする人を見て、キリスト教徒は、何やら怪しげな儀式をしていると思ったのかもしれないですね。そこから、毒薬を塗った箒《ほうき》で空を飛んだりするイメージになった。

ケント　でも、ペスト禍の際、その排除されたはずの薬草の知識によって救われた人もいるんです。フランスの話ですが、ペスト死した遺体から金目の物を盗んでいた4人組の泥棒がいたそうです。泥棒は捕まるのですが、なぜお前らは感染を免れたのか、その秘密を白状すれば、死罪だけは許すと言われたところ、泥棒は魔女に教えてもらった薬草をブレンドし酢に漬けたものを体に塗っていたと答えたそうです。

石平　ほう。

ケント　でき過ぎた話のような気もしますが、おそらく防疫効果というよりも防虫に効果があったのかもしれません。ペストはノミが媒体しますから。今でもそのレシピは生きていて、南仏ではVinaigre des quatre voleurs(4人の泥棒の酢)という名で普通に売られ、風邪予防のうがい薬として重宝されているそうです。

石平　なかなか、いい話ですね。

ケント　ペスト時代のヨーロッパのお医者さんはカラス天狗のようなマスクを着けて、長いローブのような上っ張りに杖を持ったスタイルをしていますが、あのマスクのくちばしの中には薬草が詰まっているんですね。空気感染を防ぐためのアイディアです。

石平　最初、神社を見た西欧人は何もないがらんとした空間に何かを感じるそうですな。たしかに、鳥居があって、あとは石と白木の建物に、木々やせいぜい苔《こけ》。宗教施設にありがちな絢爛《けんらん》で、ともすれば威圧的な建物はありません。

ケント　何もないからこそ、そこにあるものを感じる。現代アートとか禅問答の世界に近いのかもしれません。わびとかさびとかを説明できないし、説明してしまってはつまらない。

石平　その感じるものは何かといえば、「自然」なんですね。自然との調和こそが、日本人の精神文化の源泉なんです。

ケント　東京の民家が密集した下町の路地裏などに行っても、玄関先のちょっとしたスペースに植木鉢やプランター、なかにはバケツとかを代用して植物を育てていたりします。お店の軒下にツバメが巣をつくっても、誰も取り除こうとしません。板で巣が落ちないように補強してあげたり、「ツバメの糞にご注意ください」という貼り紙がしてあったりして、お客さんは小さくなって買い物をしていますが、誰も文句を言いません。ああいうのを見ていると、やはり日本人は自然との調和を大切にする民族なんだと思いますよ。ナチュラリストというような肩肘張ったものでなくて、生活の中に違和感なくしみこんでいるんです。

石平　「朝顔につるべ取られてもらい水」ですな。

ケント　そんな民族性がコロナの被害を最小限に抑えたのかもしれませんね。

第三章

トランプは再選され、中国共産党を追いつめる

〝アベノリターン政策〟はアメリカで高評価だ

ケント　ひとつ面白い話があるんです。安倍首相が、中国から国内に生産拠点を戻す企業に対して補助金を出すと言ったでしょ。日本のマスコミは大きく報道しませんでしたが、アメリカでは非常に高く評価されているんです。とても先進的な考え方を打ち出していると瞠目《どうもく》しています。

石平　アベノマスクが評判悪いとかPCR検査が少ないとか、政権の悪口ばかりで、日本の政策が海外で評価されているという話はテレビではほとんど取り上げません。安倍政権にとって高評価につながることは報道しないという取り決めでもあるのか、民放連は！

ケント　トランプ政権もこの〝アベノリターン政策〟を見習って、同じような政策をやろうとしています。8月17日にロイターが「トランプ米大統領は17日、中国から米国に生産拠点を戻す米企業に対する税控除を打ち出すことで、10カ月間で1000万人の雇用を創出すると表明した。トランプ氏は訪問先のミネソタ州で、『中国から米国に雇用を戻す企

サプライチェーン（全般）　**日本企業の海外現地法人の国別分布**

○ 日本企業の海外現地法人数は、製造業・非製造業ともに、中国が最も多く、3,000社以上にのぼる。

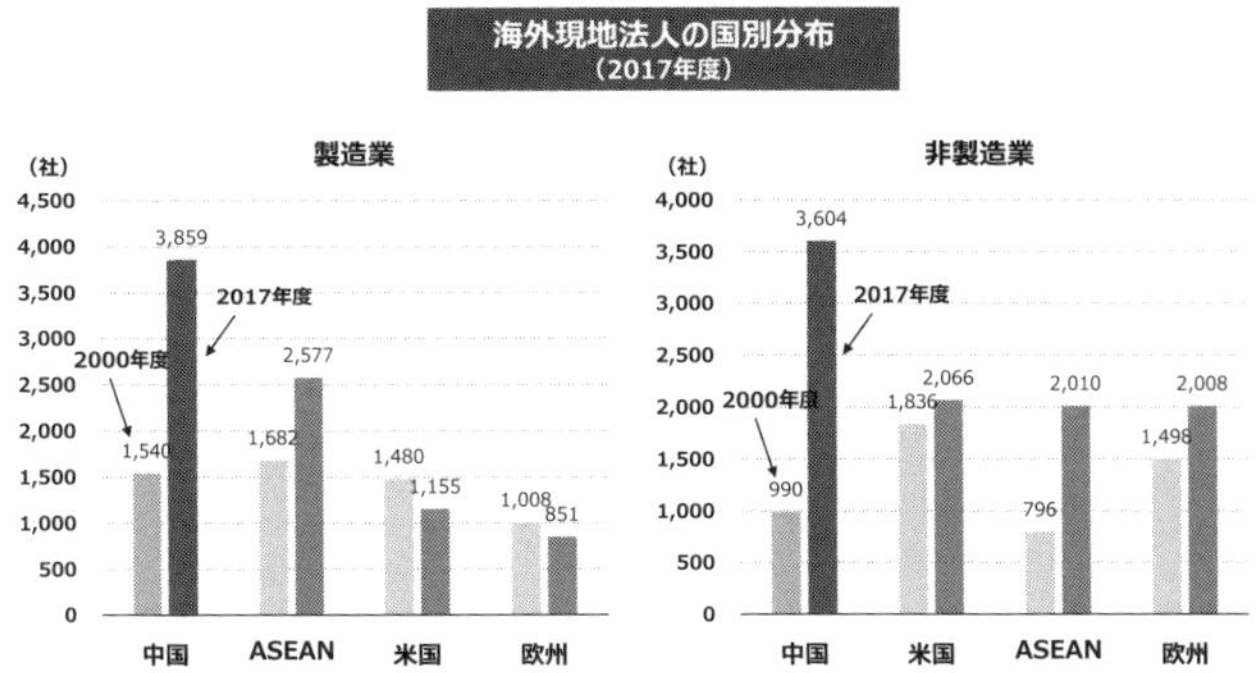

（注）　欧州：欧州連合に加盟する28カ国。ASEAN：フィリピン、マレーシア、タイ、インドネシアの４カ国。中国：中国本土と香港。
（出所）経済産業省「海外事業活動基本調査（2017年度実績）」を基に作成。

2020年３月５日の未来投資会議（議長・安倍晋三首相）で中国など特定の国に依存している生産を日本に回帰させたり、東南アジアに分散させたりする企業に対する支援策の必要性が論議された。（グラフは未来投資会議資料より）

業に対する税控除を行う』と述べた」と報道しました。

石平　それはすごい。アメリカが日本をお手本にするなんて、マスコミはもっと報道すべきです。アメリカが日本を褒《ほ》めるときって、日本にお金を出させるときぐらいなものですから（笑）。いい例がブッシュ政権のときの小泉政権。

それはさておき、やはり、安倍＝トランプの信頼関係が大きい。トランプ大統領は独断直情の人に見えて、実は大変柔軟な頭を持った人です。いいと思えば、安倍さんの意見を素直に聞く。そこが、これまでのアメリカの大統領とは違いますね。

ケント　とにかく、世界は脱中国。チャイナからのエクソダス（国外脱出）は今後、加速することこそあれ、止まることはないでしょう。

石平　みんな中国共産党、習近平政権の体質が痛いほどわかったんですわな。関わったら大変なことになるんです。ですから、サプライチェーン（供給連鎖）、世界の生産を中国から脱出させる。まるで、沈みゆく船から逃げ出すように、世界資本が中国から逃げていく。

一方で中国は、というより習近平は、と言ったほうがいいかな、肝心なときにバカなことをやるんだ（笑）。脱中国が始まったのに、わざわざ香港を殺す。香港を殺したら国際的な信用がガタ落ちどころじゃない、死ぬよ。だって、中国はドルを香港で調達しているわけだから。金融の要《かなめ》である香港の首を絞めてしまってどうするの。２０２０年6月30日に行われた中国全人代常務委員会で「香港国家安全維持法」が可決され、同日午後11時をもって施行され、金融ハブとしての香港は終わってしまった。

ケント　習近平主席にひとつ教えてあげたいんですけれど、あの人、頭悪いからね。中国本土から生産拠点を移動させるということは、それなりの時間とお金がかかるから少々難しいんですよ。つまり引き揚げるほうも、相当のリスクを覚悟しなくてはいけないんです。ところが、香港から引き揚げることは一瞬にしてできる。

石平　そうなんですよね。

ケント　なぜかというと、金融は事務所を移転すれば終わりですから（笑）。

石平　金融ハブ・香港は死んで、現在は、シンガポールに向かっているんじゃない？

ケント　かなり早い速度で、香港脱出は進んでいきますよ。

石平　ほかの国もチャンスだと今、香港を狙っているでしょ。イギリスは実に上手です。ジョンソン首相が、香港市民300万人に、英国の市民権、永住権を与えると発表したでしょ。香港の人口700万人のうちの300万人ですよ。これで香港の富裕層、さらにはエリートや人材が、どんどんイギリスに吸い取られていきます。当然、お金も流れていくわけです。

ケント　ブレイン・ドレイン（頭脳流出）もいいところですね。すごいけれども、香港の市民にとっては気の毒です。

石平　かわいそう。ただ、私は香港市民にはもう、香港を守るとかそうじゃなくて、「みんな海外へ脱出しろ」と言いたい。香港を守っても意味はありません。早晩、香港は中国に殺されるんです。こんなことは言いたくはありませんが、あなたたちが愛した香港はもうないと思うしかないんです。おそらく、今後、香港には大陸からの流入者が増えていくでしょう。となれば、街の風景も空気も変わります。

ケント　アグネス・チャンは、もともと香港の人なんですよね。
石平　香港ですね。
ケント　現在はイギリス国籍だそうです。その件で彼女に話を聞いたことがあるんです。「イギリスが中国に香港を返還するに当たって、やっぱりイギリスの国籍を取っておかないとまずいと思った」と話していました。まあ素直な意見でしょう。
石平　中国人にはなりたくないんだ。
ケント　早々とイギリス国籍を取得していたんですね。いつでも逃げられるように、と。彼女は自分がそうしながら、歴史問題については、中国共産党のプロパガンダのようなことを真顔で言う。旦那さんは日本人で、生活の拠点は日本にあるわけですから、直接被害を受けるということもないんでしょうが。まあ、ある意味では華僑という生き方の典型かもしれませんね。

中国はトランプを落選させるのに懸命だ

ケント　トランプ大統領は中近東の重要度、優先順位を、うんと下げました。これは大きなことですよ。

石平　下げましたね。

ケント　これまではエネルギー面で中近東に依存していましたから、あの地域の安定はアメリカにとって最優先課題でした。しかし、そのアメリカは今や産油国になってしまいました。もう、エネルギーを輸出する国なんです。

ずるずるいつまでも中近東で終わらない戦争をやり続けている間に、中国が台頭してきました。トランプはＩＳＩＳ（「イスラム国」）を潰すためにシリアに軍隊を派遣しましたが、その目標を達成したので、撤退すると発表しました。そうすると、マスコミがワアワア騒ぎました。「撤退すれば、トルコとクルド人の国境争いが起きて、軍事作戦でアメリカを支えてくれたクルド人が被害を受ける。だから裏切り行為だ」なんて報道しました。しかし撤退したあと、大した軍事衝突は起きていません。

加えて、アフガンから現在、どんどん軍を減らしています。11月の大統領選挙までにゼロにできるかどうかはわかりませんが、アフガンで戦争を続ける意味がもはやないんです。歴史上、アフガニスタンを制圧できたのは、ジンギスカンとアレキサンダー大王だけです。

そして現在、米軍がやっているのは、アフガン政府が行うべき「警察的」な仕事だけです。中国とはまた違う底なし沼になっています。

石平　しかし、アメリカにとって今後の戦略として正しいのは、いわゆる、リバランス政策です。現在重要なのは、やっぱり、アジア太平洋地域。それはアメリカにとって生命線ですから。

ケント　そうなんです。中近東から完全に引き揚げることができるかというと、そうはいきません。なぜかというと、アメリカはもう中近東の石油に依存していませんが、同盟国が依存しているからです。ですから、そこには軍事プレゼンスを置かないといけないのです。しかし、それ以外に戦争をする大義がなくなってしまいました。中近東の「終わらない戦争」に費やしたお金は、日本円に換算して約1800兆円ですそのお金があったら、アメリカをもっといい国にできました。

現在、アメリカは中国方面に軍事プレゼンスを移行しています。最近はあまりニュースになっていませんが、南シナ海で中国と追いかけっこをやっていますよ。まるで、アニメ『トムとジェリー』のようにね。

石平　ですから、もうアメリカ海軍の大半を今後は、太平洋、アジアに持ってくるんでしょ。

ケント　そうなんです。横須賀基地はこれから非常に重要な拠点になります。南シナ海の軍事作戦をもっと早く行うつもりだったのですが、前述のように空母の乗組員がコロナに感染してしまい、ちょっと遅れてしまいましたが、確実にやっています。

今、大統領選挙の最中なので、おそらくトランプさんは金正恩と会っている時間もありません。正恩はそれがわかっているので、核兵器のレベルを上げるような、バカなことを言ったりしていましたが。

石平　ただし、私にとって最も不安なのは、トランプがうまく再選できるかどうかということです。アメリカの有権者もそうバカではないと信じたいのですが、万が一にでも、ジョー・バイデンが大統領になったら、自由世界にとって最大の悪夢で、一番喜ぶのは習近平です。安倍政権も足元がぐらついてくるはずです。ですから私自身は、今、トランプの再戦を願うばかりですよ。

ケント　大統領選挙のために中国は現在、選挙妨害としてサイバー攻撃をしているでしょ。内容は「トランプのネガティヴ・キャンペーンと、バイデンの持ち上げだ」と米国情報筋が警告しています。

石平　ケントさん、どう思います？　私は先ほども話しましたように、基本的にコロナウイルスがある程度、収束していること、今回のいわゆる、黒人が警察官に殺されたことをきっかけに、抗議デモ、略奪、そういう暴力になったこと、この二つが、投票に反映されたら、むしろ、トランプが再選されるんじゃないかと思うんですよ。

ケント 対抗馬のバイデンは、誰かが原稿を書いてあげていますが、文章を読んでいる最中に混乱し、口を開くたびに失言や意味不明の表現が出たり、人の名前を間違えたりして、その都度、嘲《あざけ》り笑われています。

専門家が言うには、彼は明らかに認知症の初期症状を示しています。明らかに不適切な候補ですが、それよりもトランプの再選を阻止することのほうを大切に考えているのが民主党なのです。

石平 今後の世界の運命が、11月のアメリカ大統領選にかかっているといっても過言ではありませんね。

バイデンは左巻きの人たちの操り人形にすぎない

ケント　日本のマスコミは、世論調査の結果だけを見て、トランプが不利だと嬉しそうに報道していますが、アメリカも日本も世論調査ほど当てにならないものはありません。前回の2016年の選挙でも、ずっと世論調査ではトランプが不利だったんですから(爆笑)。

石平　そうやな。世論調査だけ見れば、トランプは大統領になっていないはずですわな。

ケント　そうなんです。選挙人制度はわかります？

石平　はい、わかります。

ケント　直接投票ではありません。各州にその州の国会議員と同じ数の選挙人が割り当てられます。この選挙人はそれぞれ、誰に投票するかをすでに決めていて、州ごとに一番多く票を集めた候補者が、その州の選挙人の票を総取りできるというシステムです。要するに、子どものとき、誰でもやった陣地取りごっこだと思ってください。前回の選挙では総得票数はヒラリーのほうがおよそ300万人多かったのですが、それは、民主党が圧倒的に強いニューヨークとカリフォルニアで「300万人ほど票を獲得しすぎた」だけです。

石平　民主党の牙城ですからね。

ケント　そうです。今回も数の上ではニューヨークやカリフォルニアはバイデンが勝ちますよ。しかし、どんなに大きな差をつけても、選挙人の数は変わりません。

絶対トランプに投票する州もある。民主党が強いニューヨークとカリフォルニアは代表的ですが、絶対そうしない州もある。問題は、そのほかにスイングステートと呼ばれる「激戦州」があります。選挙戦は主に、どちらの支持基盤なのか、わからない州で行われます。フロリダ、ノースカロライナ、オハイオを含めて12の州だと思います。

石平　いわゆる紫の州ですね。大統領選挙で、各州、どちらが強いのかを地図で色分けする。赤が共和党で青が民主党。そのどちらでもないグレーゾーンを紫で表現します。ですから、大統領選は、どれだけ紫を取り込めるかにかかっているという話を聞いたことがあります。

ケント　その通りです。どちらに入れるか未知数の州。本来は赤だけれど、もしかして、コロナの対応次第で青になるかもしれないという州です。それらの州でトランプ大統領のコロナ対応が評価されるかどうかが、鍵を握るんです。

次の大統領選挙は、大統領のコロナ対策の審判になると思います。しかし、新型コロナウイルス自体、トランプさんの責任ではありませんし、経済優先の対策は高く評価されると私は思います。

むしろ、問題になっているのは民主党の知事や市長です。経済活動を再開しようとするときに、独裁者みたいにいつまでもロックダウンしようとします。私には、これが一種のファシズムに見えるんですよ。トランプさんは「早く経済を再開させましょう」と言う。しかし、民主党の知事や市長は「いや、それは危ない」と止める。特に厄介なのは、学校を再開しようとするときに、教員労働組合でコロナに関係のない不合理な政治的条件をつけようとすることです。そして、最も困っている人たちは、小・中・高校生の子どもを持っている家庭です。子どもが学校に行かないと、親がまともに仕事に戻れません。

石平　いい加減、日本人も懲《こ》りたでしょ。テレビに出てくる自称・専門家が「なぜ、ロックダウンしないんだ」とさんざうるさく言って、「では、自粛してください」って言うと、また文句を言う。そんなのばっかりですわな。

ケント　ですから、コロナ対策に関してはトランプさんは大丈夫だと思います。結局、世論調査を見ていると、トランプさんはスイング・ステート（激戦州）の中では有利なんですよ。ただ先ほど言ったように、あまり世論調査を妄信してはいけないのです（笑）。

しかし、よほど下手なことをしない限り、私は当選できると思うんですよ。

国中がコロナウイルスで困っている最中に一人の黒人が白人の警官に殺された。あの事件がすべてを混乱させました。大型のデモが起きて、それがまたたく間に、暴動、略奪、放火に発展しました。これは極左のＡｎｔｉｆａとか、ＢＬＭとか、それから、一般犯罪組織が裏にいるわけです。その資金源として悪名高い投資家のジョージ・ソロスの名前が挙がっています。選挙を民主党に有利な方向に持っていこうとする政治目的は見え見えです。

石平　もう正体はわかっていますな。

ケント　わかってはいますが、彼らが今度、何を言っているかというと、「ディファンド・ザ・ポリス」って言うんですよ。ファンドっていうのは資金を供給するという意味でしょ。ディファンドというのはその逆で資金を取り上げる、没収するということです。

石平　警察解体ですね。

ケント　まずは予算を削って、最終的に警察を解体して、刑務所を廃止する。国境も解放する。これは、最終的に国家を混乱に陥れて、暴力による革命を起こして、アメリカを共産主義国にしたい極左暴力組織の考えです。さすがに、バイデン自身はそこまでは言っていませんが、副大統領候補のカマラ・ハリスはそのような考え方を持っています。バーニー・サンダースと同じですから。結論から言いますと、バイデンは主導権を取ることができるかどうか。いや、主導「権」は取るかもしれないけれど、主導「力」、つまりこの危険極まりない運動を抑えるだけの指導者としての力があるかどうか。彼にはそのような極左に立ち向かう体力と政治的能力がないと私は思います。結局、バイデンは家の地下室に引きこもって、逃げ回っています。

石平　そうです。だから私も、彼の主張を聞いたことがありません。

ケント　多分、自分でもよくわかっていないと思います（笑）。要は、当選するために何とでも言う。その覚悟はできている。しかし、本当に何を考えているのかが誰にもわからない。すべて誰かが書いた原稿をテレプロンプターで読んでいるだけであって、必ず言葉を間違えたり、日付を間違えたり、人を間違えたりするわけです。

とどのつまりは、バイデンは操り人形に過ぎないということです。左巻きの連中の操り人形になっていて、彼が大統領になるということは、結局、「国を主導することになるのが左巻きの連中になる」ということです。

黒人層はかなりの割合でトランプを支持している

石平　今の話を聞けば、私は、前回、トランプに投票した人は今回、トランプに投票しない理由がないと思うね。

ケント　共和党内のネバー・トランパーズ（何がなんでもトランプを支持しない人々）は前回の選挙でもトランプさんに投票していません。いったん、弾劾裁判で共和党の統一ができましたが、また政治目的でトランプ大統領を批判し始めています。例えば、ミット・ロムニー氏。彼は私の故郷・ユタ州の上院議員ですが、２０２０年2月、トランプ大統領の弾劾裁判が起こったとき、トランプさんに反旗を振りかざして有罪票を入れたんです。これで、議会では「裏切り者」「隠れ民主党」といった怒号が飛び交いました。彼は、２０１２年の大統領選でオバマに大敗、２０１６年の大統領選では、トランプさんの共和党代表の指名を阻止するために画策するなど、いわくつきの人物ですが。

石平　それでもトランプは根強いと思う。

ケント　鍵を握るのは黒人層なんですよ。どこまで世論調査を信じていいのかわからないのですが、ある調査では黒人のうち40パーセントが共和党、つまりトランプさんを支持すると出たんです。私はこの調査を信じられませんが、少なくとも前回トランプに投票した8％の黒人を倍にすれば、数字の上では再選する計算になります。

石平　トランプが大統領になって以来、黒人層の失業率は史上最低になりました。暴動を起こしているような連中は論外ですが、黒人の多くは賢明な判断を下すのではないかと思います。

ケント　日本のメディアはＣＮＮの報道をそのまま受け売りして、いまだにトランプさんがまるで人種差別主義者であるかのような印象操作をしています。しかし、黒人層の声をよく聞いてみると、そんなことは決してないのです。

石平　そう、そう。

ケント　むしろ、バイデンのほうが黒人層の支持率を下げるような失言が目立ちます。「俺かトランプか、この期《ご》に及んで迷っているやつは黒人ではない」とか。黒人層の中にある多様な意見を認めないというのですよ。「黒人は黙って、俺に、民主党に入れろ」と言っているようなものです。それを裏づけるように、「ヒスパニックは黒人に比べて多様性がある」なんて言葉を吐いている。彼がそういう目で黒人を見ているから、そのような短絡的な結論になるのです。

石平　日本の左翼もよくやります。たとえば、「沖縄の県民はみな基地に反対している。それ以外の意見を認めない」と言う人たちです。

ケント　ヒラリー・クリントンもそういうところがありましたからね。トランプさんの支持者の半分は ディプロ－ラブルス（Ｄｅｐｌｏｒａｂｌｅｓ）だって彼女は言ったんですよ。

石平　どういう意味ですか？

ケント　ディプロ－ラブルスっていうのは、「情けない連中、どうしようもないやつら」。一般的なイメージとしては、「聖書を片手にウォルマートに買い物をしに行って、ヒマなときはソファに座ってテレビを見て、ジャンクフードを食べる。しかも、あまり知的ではなく体臭を放ち、おまけに銃を持っている人たち」。こう言うんですよ。

石平　それ、差別じゃないの。自分の支持者だろうが、相手側の支持者だろうが、有権者をバカにするような発言は許されていいはずがありません。

ケント　そう、差別です。トランプさんの支持者の半分ですから、このことによってヒラリーは国民の25パーセントを敵に回してしまったんです。

石平　結局、民主党というのは、黒人などのマイノリティや低所得者層の味方のふりをしながら、それらの人を小バカにしてるんだな。

空軍参謀総長に黒人のブラウンを任命した意味

ケント　トランプさんはこのほど空軍参謀総長に黒人のチャールズ・ブラウン氏を任命しました。空軍の制服組のトップに黒人が就任するのは初めてのことです。これはちょっとしたニュースになりました。

トランプさんはブラウンさんの就任を「米国にとって歴史的な日だ。愛国者で素晴らしいリーダーのブラウン大将と、より緊密に働けることに興奮している」と言って、彼の人柄に関してもベタ褒めです。

例によって朝日新聞なんかは、「黒人暴動を受けての黒人層に対するごますりだ」というような意味のことを書いていましたが、それは貧しいものの見方です。ブラウンさんは、アジア太平洋を所管とする太平洋空軍司令官を長年務めていて、アジア、とりわけ朝鮮半島情勢のエキスパートなんですよ。

つまり、ブラウンさんの参謀総長就任は、アメリカの軍事プレゼンスが中東からアジアにシフトしたということの決定的な証明でもあるのです。これについて触れた日本のメディアは皆無とは言いませんが、ほとんどありませんでした。

石平　一連の黒人暴動では、むしろ、黒人自身が失うもののほうが多かったと思いますよ。黒人たちが店を破壊して大勢で商品を奪っていく動画、あるいは白人の女の子をよってたかってリンチしている動画を見せられて、当初は彼らに同情していた人々もドン引きし始めました。

ケント　そうなんですよ。それを受けて、左巻きの連中は必死になって、黒人暴動に対して強い姿勢を取っているトランプ大統領に、ファシストだの、独裁者だのと、言っています。8月20日に終わった民主党全国大会のスピーカーのほとんどはそのような表現でトランプ大統領を猛攻撃していました。ニューヨークタイムズやCNNがAntifaのプロパガンダの下請け業者になっているようなものです。そして、バカな日本のメディアが引用するのは、ニューヨークタイムズとCNNです。

大変興味深いことに、8月18日、民主党大会が開催されている最中、トランプ大統領は事の発端となったミネソタ州ミネアポリス市を訪れました。翌日の世論調査では、ミネソタ州ではトランプさんの支持率がバイデンと同じパーセンテージに上がっていました。暴動の被害者は、おそらくトランプさんに投票すると思いますよ。大統領は国民の安全と自由を守るために、強い姿勢を取らなければなりません。

石平　わかります。そういうときには強くないとね。国家存亡のときには、強いリーダーシップが必要なんです。

それでは、アメリカの左巻きの人たちは、今まで何を言ってきたか。国境開放。国境は完全に開放しろと。国を無くしてしまえ、と言う。

ケント　それから、「グリーンニューディール」ということも言いだしています。これは何かというと、地球温暖化のために化石燃料。ガソリン、軽油、灯油、一切合切を禁止にして、自動車は一家1台、それも小さい電気自動車。原則、飛行機は使わない（笑）。

石平　そんな無茶な（笑）。

ケント　だから、ハワイの議員が言っていましたよ。「どうやって家に帰ったらいいんだ。ヨットでハワイまで帰るのか」と（笑）。

それから、国民皆健康保険。つまり、健康産業をすべて連邦政府の指導下に移し替えるということです。アメリカ人は抵抗しますよ。民主党は銃を強く規制するし、今度は警察を廃止にするなんて言っている。警察がなくなれば、「みんな仲良くなって、泥棒も殺人も犯す人がいなくなる」と言いたいらしい。

石平　そこまでいくと左巻きというより完全にお花畑だね。日本ばかりでなく、アメリカの左翼も相当病んでいるな。

ケント　しかも、このグリーンニューディールの財源をどうするかといえば、富裕税——つまりお金持ちから多額の税を取りたてて、これに充《あ》てるというんですよ。過去、富裕税をやった国があります。イギリスとフランスです。イギリスがそれをやって、どうなったか。一番の外貨の稼ぎ頭だったビートルズのメンバーが、家族全員でアメリカに引っ越してしまった（爆笑）。「そんなバカ高い税金を払えるか」と言って。現実問題として、富裕税だけでは足りないので、一般の国民の税金を倍にしないと実現できない構想です。

石平　天下の大失策ですな。

ケント　地球環境のために、化石燃料なしで行こう。そんなことを公約にしたら、大統領選挙で勝てませんよ。化石燃料の石油採掘に携わっている大勢の人たちが有権者なんです。ですから、採掘している地域、石油精製産業、自動車産業、エネルギー関係に従事している有権者の数を考えれば、その産業に頼っている州は軒並み落とす覚悟でないと、そんな公約はできません。

日本でもアメリカでも左巻きは現実離れしたことばかり言っています。国境を開放して移民を自由にするなんて。もうそうなると国家の体《てい》を成さなくなりますし、最も被害を受けるのは低所得者とマイノリティです。

石平　一言で言えば、アメリカ破壊やな。

ケント　そう。行きつく先は共産主義のような国家。

石平　私がトランプにどうしても当選してほしいのは、当然、強いアメリカが世界の平和と自由社会にとって要《かなめ》ですから、それが肝心なのと、もうひとつ、トランプにはあと4年間の時間を与えないといけません。どうしても中国問題の解決には、あと4年間は必要ですから。

レーガンは旧ソ連を潰すのに8年かかりました。トランプが中国共産党を潰すにも、あと4年間は必要なんです。

ケント　よく左巻きの人は、「平和的解決を」って言うでしょ。レーガンが旧ソ連をどうやって潰したかっていえば、徹底した軍拡競争です。どんどん軍拡を見せつけ、ソ連も負けじとどんどん軍拡を進めていった。アメリカはついに、軍事のステージを宇宙まで上げて、いわゆるスターウォーズ計画なんてものまでぶちあげた。結局ソ連は、財政がピンチになって、ギブアップ負けをしたわけです。その間《かん》、アメリカはソ連との間でミサイルどころか、一発の銃弾さえも撃ち合わなかったんですよ。

国家間の紛争を、武力を使わないで解決に導くことを平和的解決というならば、レーガンのやったことが究極の平和的解決ということになります。軍拡もまた、平和的解決の手段であるという、逆説としても面白い話です。

トランプ大統領ももしかしたら、一発の銃弾も使わず中国共産党を崩壊に追い込む算段を練っているのかもしれません。本当に強いやつは、殴らずに相手を降参させるものなのですよ。

石平　私もそう思います。武力衝突があったとしても、限定的なものでしょう。いくら習近平がバカでも、アメリカとガチンコでぶつかって勝てると思うほどボケてはいないでしょうから。

トランプ再選でアジアを守る有志連合ができる

ケント　トランプ大統領の対中政策はおおむね国民の支持を得ています。というよりも、対中政策に関しては民主党も共和党と足並みをそろえています。ただアメリカの場合、外交というのはそれほど選挙に影響しないんです。伝統的に、票に繋がりません。やはり経済――特に雇用の問題が重要なんです。8月の全国民主党大会のなかでは、「中国」という言葉がほとんど出ませんでした。

石平　そうなんだ（笑）。私がアメリカ国民なら、対中政策だけでもトランプに花丸の合格点を上げますが。

ケント　昔は、任期中に戦争をやった大統領は再選するというジンクスがありましたが、今の時代はそう簡単に戦争もできません。ただ、現在進行中の新冷戦こそ、トランプが仕掛けた「銃声なき戦争」とも言えます。

石平　この戦争には絶対に勝利してもらわなくてはいけません。

ケント　ただ香港に関しては、大衆はちょっとロマンがあるんですね。中国は一国二制度を認めるか、ちゃんと守るかどうかっていうことに大変興味があります。アメリカ人は、自由と民主主義という言葉に弱いですから。あともう一つ、正義。それに対してトランプさんがどういう対応をするかっていうことは評価されるでしょう。ということは、甘い態度はとれないということになります。

石平　ウイグルやチベットに関しては？

ケント　残念ながら、そこまで一般大衆に浸透しているとは言いがたいですね。大統領選の争点になるかといえば、弱い。ただ、アメリカのインテリの一部の間でダライ・ラマの人気は高いですよ。とにかく、アメリカという国は貧富の差もありますが、知的格差も同じぐらい大きいのです。となると、やはり一般大衆にとって、共通の関心は経済ということになりますね。

石平　コロナの対応に関してはどうですか？

ケント　そこが唯一の懸念。私は常々言っています。バイデンは勝つことはない。しかし、トランプさんは負けるかもしれない。

石平　どういう意味や。どちらかが当選するしかないじゃん。

ケント　どういうことかといえば、トランプさんのコロナの対応が低く評価されて大統領選で負けて、バイデン大統領が誕生したとしても、それはトランプさんが負けたことであって、バイデンが勝利したわけではないということなんですよ。正直に言うならば、誰もバイデン大統領を望んでいない。民主党支持者もですね。仕方がなくてバイデンに入れるかもしれませんが。そこがヒラリーとは異なり、求心力がない点です。

石平　前回の大統領選のときは、日本のメディア——基本的に左巻きですが——は、ヒラリー圧勝をこぞってアピールしていましたな。トランプはただのビジネスマンで人種差別主義者だ、とレッテルを貼って。今度の選挙ではそういった、バイデン持ち上げの熱意もないようですね。

ケント　私が一番懸念しているのは、上院が民主党に抑えられたら、厄介だなということです。不安材料はそれぐらいですかね。

正直にいえば、トランプさんの登場後、世界のトレンドは急速に変わりました。グローバリズムなんてものは、もう遠い過去の言葉になったような気さえします。

国連の人権委員会なんて茶番だということがバレてしまいました。国連は日本の性奴隷がどうのこうのと言っているくせに、ウイグルについて何もしないじゃないですか。何を言っているんだよ、と思います。

石平　ですから、私が一番期待するのは、大統領選でまずトランプ氏に再選してもらう。台湾の蔡英文さんも再選できた。日本でも、くれぐれも親中派が政権につかないようにしないといけない。安倍政権もいろいろ問題がありますが、現状、日本の首相として安倍さ

ん以外の人は考えられないでしょう、
ですから、ぜひ安倍さんには4選をしていただきたい。
ケント　そうですね。安倍さんしかいないと思います。日本の悲劇は、安倍さん以外にいないというところです。しかし、アメリカの左翼がコロナをトランプさんのせいにしようとしているように、日本のマスコミや野党、そしてそれにだまされた情報弱者は、安倍首相のコロナ対策が大失敗であって、なかなか理想通りにはいかないのは彼のせいだと言い続けています。コロナ対策が難しかったのは、紛れもなく、中国共産党の隠蔽が原因です。
石平　そういう意味で今後、再選したトランプ大統領を中心に、アメリカを基軸にして普遍的で共通した価値観を持つ、そういう先進国で世界の同盟を築く。中華帝国主義の膨張を封じ込めるための有志連合ができて、アジアの平和を守り、一丸となってコロナの悪影響を克服し、新しい産業の形、新しいライフスタイル、みんなこの文明社会でやっていこうと決意する。それが理想です。
ケント　ですから、太平洋は日本とオーストラリアとアメリカとインドですよね。これにイギリス、カナダも加わる。やがては、東南アジアも巻き込んで。
石平　そう。今回のコロナウイルス問題で、この形が徐々にできあがってきた。習近平はバカだから、今、この時期オーストラリアをいじめている。オーストラリアの大麦に高い関税をかけたりしています。

ケント　オーストラリアはいったん危いところまでいきましたが、いち早く中国共産党の正体がわかったんでしょう。「香港国家安全維持法」をめぐって、オーストラリアが香港との犯罪人引き渡し条約の一時停止を発表しました。彼らだって人権抑圧国の片棒担ぎとは見られたくありませんから。これを発表したことで、スコット・モリソン首相の株はグンと上りました。

石平　習近平がバカだという証明です。この時期にオーストラリアまでいじめると、ますます対中国同盟の形成を加速させることはわかり切っていることなのに……。

日本は「憲法改正」をしなければならない

ケント　基本的に一帯一路に関しても、もうどこの国もそんな絵に描いたケーキを信用しなくなりましたね。一帯一路はつまずいています。アメリカとは完全にこじれました。これから貿易協定を守っているかどうかをアメリカが評価しますが、守っていないという評価を下せば関税を50パーセントに上げます。

石平 中国は第1段階から合意を守れません。いや守らない。守る意思がない。例えば、2年以内にアメリカから2000億ドル分のモノを買うという合意に関しては、最初からそこまで買わないつもり。買えないんです。

ケント アメリカは、去年の3月より中国からの輸入品を詳しく調べているんですよ。もうそろそろ1年半経ちます。ですから、協定を守っているかどうか、評価するための材料があるわけですよ。現在は、コロナとか選挙とかいろいろな優先順位があって後回しになっていますが、中国をもう一度攻めると思います。

石平 トランプは、それは絶対にやります。再選されれば、さらに強くやります。

ケント そんなときに、日本の与党の中で「習近平を国賓で呼べ」だなんて言う人もいます。もう世界情勢がまるで見えていません。

石平 いや、ほんと。

ケント 石平さんの意見を聞きたいんですが、私はコロナが落ち着いたら、安倍さんは4選をかけて総選挙をやると思うんですよ。そのときには親中派を排除すると思います。そこに憲法改正に賛成の人たちを入れる。そうすると、3分の2が取れるでしょう。だって、日本維新の会は割ってくるし、他にも割ってくるのは何人かいるわけだから、何とかできると思います。

石平　それは予想しうる最高のシナリオです。ただし、安倍首相がもし、その戦略ならば、今、気になるのは支持率だな。

ケント　支持率は今（2020年8月現在）、確かに下がっていますが、そもそも支持率なんていうものはマスコミの仕掛けによってヨーヨーみたいに上がったり、下がったりします。

石平　そういう意味では安倍首相に対する期待は、もし、本気で第4期をやるならば、もう十分長く総理大臣を務めてきて、5期はないんだから、余計なことを何も考えず、第4期はまさに、まだ成し遂げてない仕事をやり遂げてほしい。

ケント　4つあります。

1番目は憲法改正です。これは最優先にしたほうがいいと思うんですね。

それから、2番目が、安倍さんがライフワークとも言っている、拉致問題の完全解決。拉致問題は独自でやるのはかなり難しいので、これはアメリカにお願いしつつ進めていかなくてはいけないでしょう。北朝鮮もトップが金正恩になり、今、金与正《キムヨジョン》という人も出てきています。金正恩の重体説が本当かどうかは別として、潮目が変わったことは確かです。もしかしたら、何かしらのサプライズがあって前進する可能性はあります。これはしかし、後回しになるかもしれません。被害者家族もご高齢だし、もう少し待ってくださいというのは酷ですが、ここは焦らず、確実なセンで駒を進めていくしかないのです。幸い、トランプさんは金正恩とは相性がいいらしいですし、拉致問題の重要性もわかってくれています。おそらくは、再選後は米朝首脳会談も行われるでしょう。

3番目はスパイ防止法です。スパイ防止法を通すためには強行採決になるでしょうから、これは憲法改正をしてからだと思います。

4番目は北方領土。北方領土に関しては相当な譲歩が必要になります。その間にプーチンがまだ現役であればいいのですが、プーチンがどこかへ行ってしまえば無理かもしれません。ある程度、譲歩して終わりにすることになるかもしれません。残念ですが。

それらの過程のなかで拉致問題も動かしていく。

石平　それらの要は、やはり憲法改正ですね。憲法を改正すれば、その時点で北朝鮮も何かのサインを出してくるかもしれません。今の段階では、「絶対に殴ってこない相手と交渉する必要なし」と完全に舐《な》められている状況ですから。拉致問題の解決のためにも、まずは憲法の改正が必要です。

ケント　憲法の改正を発表すれば、その時点で北朝鮮は日本の見方を変えますよ。

石平　ですよね。

ケント　「憲法改正しました。今、特殊部隊を訓練しているから早く返せ」と言う。「さもなければ大変だぞ」と言ってもいいと思います。プーチンだって、戦えない軍隊だから舐めてかかっている。しかし、「日本の軍隊は憲法のおかげで戦えないだけで、決しておもちゃの兵隊じゃない。戦えばきっと強い」ということをプーチンは知っています。だから、日本が本気を示せば、プーチンも交渉に乗ってくる可能性は高いと思います。

スパイ防止法は、もともと自主憲法に付随するようなものですし、その意味で優先順位はやはり憲法改正が1番目ですね。

石平　私も同感です。まず、憲法改正。アベノミクスは失速してしまったでしょ。私は、まあ、最初から大きな期待はしていなかったのですが。ですから、第2次安倍政権発足以来、ずっと期待されてきたのが憲法改正。現在は、残念ながら、1歩も進んでないでしょ。

将来、安倍首相が歴史的に残るとすれば、憲法改正以外にありません。もし、現在の状態で安倍政権が終わったとすれば、歴史には何も残りません。長く総理大臣を務めた人、という評価しか残せません。

安倍首相はここまでやったら正直、もうためらうことは何もないわけです。憲法改正は、やるかやらないかだけの問題です。失敗したとしても、何もやらなくて終わったよりはましですよ。そういう意味で4期目をやってほしい。期待しています。

自虐史観をなくさないと日本は自立できない

ケント　それから、安倍さんになんとしてもお願いしたいのは教育改革です。

これに関しては本を出すたびに書いていますが、キーワードは「国益」です。日本は自国の国益をちゃんと主張する自信を持たなくてはいけません。アメリカのウォー・ギルト・インフォメーション・プログラム（ＷＧＩＰ）というのは、国益を考えないような体制に日本と日本人を仕立て上げるためのものだったんですよ。要は、国民に「日本は戦前、悪いことばっかりした。誰もいい国だと思ってない。ひどい国だって言われても反論しようがない」という意識を植えつけたわけです。日本人はこの洗脳にまんまとはまって、いまだ抜けきれないでいます。

中国や韓国はそれに乗じて歴史問題をふっかけてくるわけです。繰り返し自分たちの国が悪い国だと言われて、「加害者だ」ってずっと呼ばれると嫌になる。それで、どうするかっていうと、考えなくなる。つまり、無関心になる。これが一番怖い。無関心な国民がいる民主主義というのは、ものすごく怖いのです。

石平　そうですね。選挙に行かなくなってしまいますものね。なんか、政治に関して意識を持つことがダサいという空気が、特にバブル期の日本には蔓延していました。

ケント　教育制度もそれが目的なわけですよ。要は、贖罪意識を持たせるためにある。贖罪意識を持つというのは決して気持ちがいい話ではありませんから、国民は考えないことにするわけです。そうすると、政治に関心を持たない。国際情勢に関心を持たない。投票しに行かないかもしれない。わけもなく、みんなが言うからとにかく「安倍が悪い、安倍が悪い」と連呼する。安倍政権の批判をすれば――いや、批判にもなっていないな――とりあえず「安倍が悪い」と言えば、賢くなったよう気分になる、仲間外れにならない、ただそれだけ。何も考えないようになります。

石平　そう。ですから、安倍以外なら誰でも、といって、恐ろしく危険な選択に誘導される。

ケント　「安倍じゃなきゃあ、どこでもいい。なら共産党に入れるか」という、こういうレベルになってしまう。これを仕組んだのはアメリカです。ウォー・ギルト・インフォメーション・プログラムには4つの柱があって、ひとつ目は、なんといっても東京裁判ですよ。東京裁判は最初から最後まで茶番劇ですが、これによって、「正式な国際裁判で日本が悪かったということを確定しよう。日本人がそれを受け入れろ」というふうにした。

それから、2番目が自虐教育への教育改正。私から言わせれば、改正でも何でもなく、ただ、教育現場が崩壊しただけなんです。3番目は憲法第9条を制定することによって、「自分の国を武力で守ることは罪である」と国民に信じさせること。お見事、これは大成功でした。インテリと呼ばれる、たとえば大学の先生だとかジャーナリストだとか、一番頭のいいはずの人たちが、現在に至っても一番洗脳されています、かわいそうに。

4番目は情報統制。要するに、プレスコード。実質的な検閲制度です。左翼がよく、「戦前は軍の検閲があって、言いたいことも言えなかった、出版の自由もなかった」と言いますが、戦後の占領軍だって同様の検閲をしていたわけです。GHQを批判してはならない。連合国を批判してはならない。東京裁判を批判してはならない。検閲制度があること自体、言っちゃいけない。30項目にわたってありました。

それから、公職追放もやっています。公職追放によって、マスコミに彼らが伝えたい情報を伝えさせることが簡単になりました。そうしない人は追放されましたから。そうすると、実は戦前と何も変わっていない。

石平　まったくそうです。戦前から続く企業は、なんらかの形で戦争に協力してきたわけです。となれば、ほとんどすべての企業のトップは公職追放の対象になる。戦後、日本企業の首のすげ替えが行われたといっていい。

ケント　大本営がGHQに変わっただけであって、結局は権力による情報操作が続いていたということになります。ですから、日本のマスコミは真実を伝えるということに全然慣れていないんですよ。それが自分の役割だと思っていない。自分たちが世論をつくって誘導する。それが仕事だと思っています。

ですから、本当に今、大変な情報環境になっていまして、憲法改正をしようとするとマスコミによるものすごい抵抗があります。それに対抗するために、どれだけ意識を持った国民の力と声を集めることができるのか。情報源が偏った報道しかしないテレビと新聞だけという人は、ちょっと救いようがありません。

石平　要は、占領が終わっていないんだな。まだ占領期間中なんですよ。ですから、私はもう憲法改正をしないと本当の意味で日本は自立できないいんじゃないかと考えています。

ケント　いまだに、日本は本当の意味での自立はしていないんですよ。アメリカとは講和条約を結びましたが、ロシアとはまだありません。アメリカの同盟国という立場はいいんですが、同盟国として活動できないような不利な条件で束縛されているわけです。事実上、アメリカの属国なんですよ。

石平　二言目には、マスコミは「アメリカ追従だ」と政府を批判します。そのくせ、憲法改正については「論議もけしからん」と言う。自分たちの憲法すら持てないから、いつまで経ってもアメリカに従属しなくてはならないということをわかっていないのです。

第四章

泥棒、買収、嘘……危険すぎる国
中国を兵糧攻めにしろ!

アメリカはずっと中国に裏切られてきた

石平　ある意味では、アメリカ人は長い間、中国に対しては非常に幻想とか夢というものを抱《いだ》いていました。歴史のある大国ですから、中国にいろいろなことを期待もしていたんです。

実は、戦前からそうだったんです。戦前、日中戦争のときに中国を支援したり。あるいは、中国共産党と国民党の内戦のときに、アメリカはどちらかといえば、中国共産党に同情しました。しかし、結局ひどい目に遭ったのは朝鮮戦争です。中国共産党が政権を奪ってから、まず、朝鮮半島でアメリカ軍と戦って、アメリカ軍は大量の死傷者を出しました。ベトナム戦争もそう。そのあと、ずっと冷戦時代があり、ニクソンのときに旧ソ連への対抗の意味もあって中国と接近しました。ニクソン・ショックです。電撃的なニクソンの北京訪問がありました。

その後、鄧小平の改革以来、さらにアメリカが中国市場という、大きな夢を見てしまいます。むろん、アメリカの政治的な思惑も働いていたと思います。要するに、中国の近代化を支援して、中国が繁栄して中産階級が大きくなったら、中国はいずれアメリカの価値観を受け入れて民主化されるであろうという。

しかし、その期待は最初から無理筋でした。特に習近平政権になってから、むしろ、中国は繁栄して力がつけばつくほど横暴になり、アメリカの価値観とぶつかるようになりました。アメリカと覇権を争うという姿勢を強くし、アメリカに対抗し始めました。アメリカの価値観を一から否定するという状況になり、ついには今回のコロナウイルスの一件で、ある意味ではアメリカの中国に対する幻想は、粉々に打ち砕かれました。

ケント　石平さんがおっしゃるとおりなんですが、トランプさんが最近、こんなことを言っているんですよ。「中国とはこれまでいい感じにやってきたが、最近はもうぜんぜんダメになった」と。習近平のことを内心小バカにしながらも、いちおうはヨイショしてみせているんです。「偉大なリーダーだから、難しい香港の問題もどうにか収めるだろう」とか、「新しい貿易の合意ができたから、それをきっと守るだろう」といった感じです。要は、「約束を守れよ、香港のことはこっちもしっかりと見ているからな」というメッセージでもあります。

発言自体は少々楽観的な響きもあったとは思うんですよ。それは（習近平を）信じているのではなくて、そう言うことによって、習近平にプレッシャーをかけているということなんです。本当は習近平が偉大なリーダーだとは少しも思っていなくて、嘘つきだっていうのはちゃんとわかっていますし、香港に関しては対処が下手くそ以外の何ものでもないと思っています。わかってはいますが、それを言わなかった。誰もその発言を信じてはいなかったとは思うんですが。

石平　習近平にそういった言葉のあやが通じるとは思えません（笑）。

ケント　ところが、今となっては「全部ダメになった」と言っています。それでも「貿易に対する、その合意を守り続けることを期待します」とは言っているものの、どうでしょう？　今までの、第1段階の合意を中国は守りますかね？

石平　いろいろな約束をしたでしょ。例えば、知的財産権を保護するとか。あと、アメリカの大豆を買うとかね。

ケント　それがそもそも、そんな知的財産権を守るとか、侵害しないとか、最初から嘘の約束で守る気がありません。しかも、それをちゃんと守れるかどうかの検証もかなり難しいと思います。

唯一、中国が数字的に約束したのは、第1段階の合意が成立してから2年以内に2000億ドル分のアメリカ製品を買うということです。しかし、それがどうやらもう怪しくなってきているようです。というのは、最近の数字、例えば5月を見てみましょう。もうコロナウイルスはある程度、中国で収まっているのに中国の海外からの輸入は——もちろん、アメリカだけでなく——輸入全体は前年同期、去年の5月と比べれば16・7パーセントも減ったんですよ。中国の需要が全体的に落ち込んでいます。

石平　例によって中国が発表する数字は当てにはなりません。実態はもっと深刻で、20パーセントぐらい減っているのではないかと思います。

ケント　経済が落ち込んでいると、投資も消費も落ち込みます。ですから、アメリカだけでなく、ほかの国からもモノを買う余裕がなくなります。さらに、中国がアメリカ製品を2000億ドル分買うと約束しましたが、大体、この2000億ドルがどこから来るかとなると、結局、アメリカとか世界市場でモノを売って稼いだお金でしょ。行って帰ってこい、なわけです。

石平　しかも現在、輸出も減っていますから稼ぎもかなり減っているわけです。そうなると、手持ちの外貨もぐんと目減りしています。人民元では話になりません。やはりドルじゃないと。
外貨が減ると、2000億ドル分を2年以内に買う約束の実現は、現実にはもう無理。あるいは、中国政府は最初から無理だとわかっていながら、トランプ政権のさらなる制裁関税を避けるために、とりあえず約束した可能性が高い。中国のやりそうなことです。

ケント　約束した時点では、できると思ったかもしれませんね（笑）。好意的にそう解釈してもいいですが。

石平　彼らが約束した2000億ドル分の購入は、コロナウイルス以前でも無理がありました。とにかく、中国政府にとっても中国社会にとっても、約束というのは急場しのぎのためのものです。とにかく、約束しておく。あと守れなかったらまた守れない言い訳をすればいい、という考え方です。中国にとって約束とは、この程度のものです。

中国経済はアメリカ頼みだったのに……

ケント　脱中国、中国をサプライチェーンから外そうというのが世界的な動きになっています。ですから、これからアメリカは、命に関わる薬品関係の製品は全てアメリカ製でなければならないという法律にするでしょう。あるいはインドなど、信頼できる国が製造した薬品でも、原材料が中国から仕入れたものなら、輸入禁止または高い関税の対象になるでしょう。それから、中国からアメリカに戻るための、日本が考えた補助金制度、税金の優遇措置を導入すると思いますよ。安倍政権のこのグッド・アイデアをアメリカが真似をするでしょう。

一時は、中国と一蓮托生の道を選ぶのかと思われていたオーストラリアも、どうやら脱中国を鮮明にし始めました。あれだけ経済を中国に依存してきた国でも、国際的な孤立のほうを選ぶことはさすがにできませんでした。そのためには一時的な経済の落ち込みは覚悟したうえでの判断です。

石平　ですから中国経済に関して言えば当然、悪くなります。というのは、そもそも中国経済のかなり大きな部分は、外資企業と輸出を頼りにしていますから。

ケント　割合として国内の消費は少ないですか。

石平　中国経済の一番のネックは国内消費が少ないことです。

ケント　それは給料が安いからですか。

石平　それもひとつの要因ですが、それだけではありません。まず、実態を説明すると、たとえば、ケントさんのお国、アメリカね。GDPに占める個人消費率は70パーセントぐらいです。要するに、アメリカ国民が消費すれば7割ぐらいの経済ができる。あとの3割ぐらいを外国に輸出する。日本も国内消費は60パーセントあります。他方中国は40パーセント未満です。

要するに、中国経済で国民が消費する分は40パーセント未満。では、あとの60パーセントはどこにあるかといえば、ひとつが輸出。どこに輸出するかというと、ケントさんのところですよ。アメリカです。中国の一番大きな輸出のお得意さまはアメリカなんです。

もう一つ、中国の産業、製造業。特に雇用に関しては大きな部分は外資企業を頼りにしています。要するに、日本企業やアメリカ企業は、中国でモノをつくるために中国の人を大量に雇います。外資企業関係だけでも1億人ぐらい。中国はそういった構造になっています。

今後、経済が悪くなるのは必至です。ケントさんがおっしゃったように、外国企業が中国から出ていく。徐々に撤退する。そうなると、仕事口がなくなります。失業が増える。失業が増えたら当然、経済も悪くなります。もう一つ、中国はアメリカにモノを売って、これまで何十年間、莫大な恩恵を受けてきました。アメリカの市場がなかったら中国の産業は全く成り立ちません。

ケント　それは日本も同じかもしれませんね。

石平　私もアメリカには何回も行きましたが、スーパーに行ったら安物ばかりです。

面白いのは例えば、アメリカですごい豪邸に住んでいる人は、車はベンツに乗っています。しかし、着ている服はスーパーで一番安い中国製なんです。アメリカ人は平気なんですわ。中国現地より安く買えます。

ですから、中国はアメリカから二つ手に入れました。一つは外貨です。しっかり働いてドルを稼いだ。もう一つは国内の輸出向け産業によって雇用ができました。それで、中国経済は成り立っていました。要するに、アメリカさんのおかげで中国経済は成り立っていたのに、今回、アメリカさんとケンカした。アメリカとケンカするだけで中国の経済が落ちる。さらに今後、落ちるもうひとつの要素として香港問題がある。中国の投資はかなりの部分が香港から入ってきています。香港の機能を殺すと経済がさらに落ちるのは、明白なんですよ。

世界は結局、商売よりも人権を重視する

ケント　アメリカの産業界は「中国の市場の大きさを無視できない。だから、不利な条件でも出遅れてはダメだ」という考え方でした。ところが現在、中国の市場で、うまくいっている会社はまだやり続けるでしょうが、大きな政治的リスクを負ってまで中国市場を開拓しなければいけないと考えている企業は少数になっています。ですから、まずは中国をサプライチェーンから外す。それとは別に、中国の消費者に対してモノを売る。このように二つに分けて考えたいんでしょうね。

石平　いや、それはちょっと無理があるわな。というのは、中国の消費者向けにモノを売るのに、アメリカでつくって中国に運んで売るのは大変です。

中国国内でつくって中国で売るっていう手はありますが。しかし、それも今後は難しい。というのは、今は儲かるとしても、いつどうなるかもわからない。中国の消費が一寸先は闇、というのをさすがにみんな学習しました。そのリスキーさを。

ケント　それと、もうひとつ大きな問題があるのは、中国の人権侵害を含む規制です。例えば情報産業に関しては、中国当局の検閲に協力するのかしないのか。しないと、中国では商売ができません。映画産業は検閲に応じないと、中国では映画を公開することができません。

石平　中国資本の流入とハリウッド映画の凋落は見事にシンクロしています。今のハリウッド映画は面白くないですよ。リメイクかシリーズ物、あるいはマーベル漫画の実写化ぐらいしかありません。

ケント　ＮＢＡ、プロ・バスケット・ボールのリーグの事件もアメリカで大問題になりました。ＮＢＡのヒューストン・ロケッツのオーナーが香港の民主化デモを支持するツイートをしたら中国で大炎上したんです。

石平　ありましたね、そんな事件が。中国国内での莫大な放送権料やグッズ販売権の手前、ＮＢＡもどこか及び腰でした。

ケント　結局、ＮＢＡが謝罪したんですよ。そうすると、アメリカ国民から強い反発が起こりました。

石平　当然です。

ケント　ＮＢＡがそんな理不尽な要求に屈するのか、と。人権よりもあなたたちは、お金なのか、と。それで、ＮＢＡがひどく評判を落としたんです。
　それからインターネットですよね。Ｇｏｏｇｌｅは結局、中国から外されました。
石平　実はＧｏｏｇｌｅも同じ問題に直面しました。中国政府は、誰かが例えばＧｏｏｇｌｅを利用して中央政府を批判するでしょ。そうするとＧｏｏｇｌｅに「この人物の身元をよこせ」と言う。Ｇｏｏｇｌｅは立派なアメリカの会社ですから、応じたら人権侵害に加担することになるので拒否しました。
ケント　例えば、「天安門」とか「香港デモ」で検索したら、こちらの個人情報が中国に流れてしまいます。たまったものじゃありません。
石平　今出てきたＮＢＡの問題、あれもひどかった。でも、幸いＮＢＡは、最後の最後で踏みとどまったんです。というのは、最後に中国側が要求したのは、香港を擁護したＧＭ（ゼネラル・マネージャ）を解雇しろ、という理不尽かつ、常識外れのものでした。ＮＢＡとしてはさすがに、そこまではできませんから。
　そうなると今度、中国は何十年もの歴史あるＮＢＡの試合の放送をできなくしたんです。なんという傲岸不遜《ごうがんふそん》。しかし、これで世界中のバスケットボール・ファンを敵に回したことになりました。

ケント　中国はスポーツも政治ですからね。

石平　結局、ただ1人の関係者が、香港デモを擁護したツイートを書いただけで、中国が横暴に「この人物を解雇しないとNBAを排除する」と言ってくる。さすがにこれでアメリカの財界もわかってきました。要するに、「どうしても中国市場が欲しいならアメリカ人の価値観を放棄しなければいけない」ということなんです。

ケント　民主主義も人権もありません。全て中国の言いなりになるしかありません。ただ、幸いNBAはさすがにそこまでできませんから、解雇しませんでした。

石平　実際、放映権料は大きいわけですよ。それが中国共産党の胸先三寸で、一瞬で消える。これを怖いなと警戒心を抱くのか、あるいは中国に逆らっちゃあいけないと思うのかは大きな違いです。しかし、NBAの試合が放映できないとなると、中国の通信会社も大損失ですからね。

ケント　結局、誰も得しませんでした。NBAも中国の通信会社も中国のバスケット・ファンも。中国当局も、世界中の怒りを買うことになりました。

石平　アメリカ人は、いや西側のみんなが、自分たちの良心を捨てるかどうか、そういう踏み絵を踏まされるんですわな。アメリカ人に関して私が尊敬するのは、もちろんビジネスの利益も考えますが、最後のところでそういう価値観を大事にするところ。中国に屈しなかった、という多くの事実です。

中国はアメリカから知的財産を盗み放題だった

ケント Facebookはすごく批判されているんです。Facebookは中国の検閲に応じているんです。ですから、アメリカで激しく批判されています。オーナーのザッカーバーグは名前からしてユダヤ系ですが、昔からユダヤ系実業家と中国は相性がいい(笑)。阿片戦争で名を馳せたデイヴィッド・サスーンが有名です。

石平 なんでもない書き込みでも、すぐにアカウント停止を食らいます。それがここ数年は顕著です。何年も前の投稿をほじくり返されたりして。

ケント 中国は戦略的なミスを一つ犯しましたね。アメリカで売られている医薬品のほとんどが中国製なんですよね。インド製もありますが、その原材料は中国です。しかし、売っているのはアメリカのメーカーです。アメリカの会社が中国でつくっているわけです。中国は「アメリカが新型コロナウイルスの対応について中国を批判し続けるなら、輸出を止める」と言い出しました。これはさすがにダメですよね。国際世論がそれは許すはずもない。ダメというのはそれこそ、中国共産党政権の異質性ですよ。人の命が関わることでも平気で外交の手段にするんです。要するに、アメリカ人の命までをも人質にするのです。

結局、この発言は、国際社会の中国に対する嫌悪感と警戒心を高めただけに終わりました。

石平　ですから習近平って本当にバカなの。

アメリカもそんな国に依存しては危ないというので、「アメリカに戻さないと大変だ。少なくとも、友好国に移さないとダメだ」という結論に達したわけです。

アメリカが中国を大きな市場と見ていたのと同じように、中国にとってもアメリカは魅力ある市場なんですよ。その大きな市場を中国は失うことになりました。少なくともアメリカと友好的な関係にある諸外国は、アメリカを見て同じような動きをします。ですから、中国はどんどん自分で自分の首を絞めているような気がします。

ケント　今まで中国がアメリカから大きな利益を得てきたのは、知的財産権を盗んできたことにあります。中国はアメリカの技術を好きなだけ、いろいろな手段で吸い取ってきたんです。その手段はどういうものかと言えば、例えばアメリカ企業が何か技術を持っていて、中国に投資して工場をつくろうとします。そのときに、中国はまず、「中国に進出するなら、技術をよこせ」と言ってくる。しかも、中国に本格的に進出が決まってから言い出すわけです。

強制的に技術を譲らないとダメだという場合もありますし、あるいは、合弁会社をつくるのを条件にする場合もあります。むろん、合弁会社というのは、技術を吸い上げるためのものなんですが。

最初こそ合弁会社、つまり、アメリカと中国が仲良く半分の条件でやっていますが、途中から、アメリカのパートナーを排除する方向へ持っていく。つまり、乗っ取りを始めるんです。

石平　もう、技術が手に入ったから、あんたはいらないって言い出すわけだ。日本もさんざんやられた。

ケント　しかも、そこで得た利益は持って帰れないと規制されています。だから、撤退しようにも撤退し切れなくて、今まで投資した分だけでも回収しようとして結果的に泥沼に足を取られてしまいます。中国はそういうひどいやり方をしているわけです。

石平　もう一つのやり方もあります。アメリカは外国人の留学生を積極的に受け入れているわけでしょ。それは移民の国アメリカの素晴らしい伝統だと思いますよ。それを利用して、中国は大量にアメリカに留学生を派遣する。特に先端技術を研究する大学の研究室や研究所へ。そういう人々が入って、アメリカの知的財産を盗む行為をやりたい放題にしていました。ばんばん盗んで本国に持ち帰るんですわな。

ケント　さすがに現在は、それを監視対象にしていますね。アメリカは今後、そういった中国の留学生を受け入れない可能性があると言っています。

石平　ですから、中国はここ数十年間、アメリカの市場を手に入れて、最新技術を集めた製品をつくり放題、売りたい放題でした。外貨を稼いで莫大な利益を得ていたんです。アメリカ企業から技術を盗んできて、自国の産業を育てる。正直、中国にとってアメリカはおいしすぎて、ドル箱であると同時に技術の宝庫でした。要するに、甘い汁をアメリカから吸いたい放題だったんです。その結果、力を身につけると、とたんにアメリカと対抗しようとする。露骨にアメリカの覇権を奪おうとする。アメリカも、ここまでやられたら本当に目覚めないと、本当にバカですよ。

ケント　いや、バカだったんですよ。誰がバカだったかっていうと、オバマや、グローバリズムというイデオロギーに酔った人たちですよ。

石平　うん、オバマはバカ。どうしようもないバカ。

ケント　オバマ政権までは中国のやりたい放題だったんです。しかしトランプ大統領になってからはアメリカの態度が変わったんですね。トランプ大統領を支持しないという層はアメリカ国内に当然いるんですが、対中国の厳しい体制を取ることについては、トランプさんが世論をうまく、ほぼ100パーセント取りまとめることができました。

　中国がうまくやれば、トランプ大統領の世論誘導を阻止できたと思うんですが、彼らはあんまり器用ではありません。共産党ですから、政治的な思惑で動くわけです。プロパガンダは大量に流布しますが、対象のアメリカというものをわかっていないんです。やはり一党独裁の体制だと「井の中の蛙《かわず》」なんです。トップダウンでなんでもできると思う愚かな自負心を持っています。

石平　わかっていないから、これは大失敗に終わっているわけですよ。中国は世界の大学に、孔子学院を置いた。建前は、文化交流のための研究機関ということですが、実態は工作機関であることが明白です。

　アメリカは、さっそくこれの管理強化に乗り出しました。

大使館などと同じ外国の政府機関に認定したんです。これからは孔子学院は、運営資金について、アメリカ政府に報告しなくてはいけなくなります。

こういうときは、アメリカは実に仕事が早い。うらやましい。日本は早稲田大学や立命館大学など、15の大学に孔子学院があるのに、放置したままです。

ケント　そもそも、あれだけ共産党が焚書坑儒《ふんしょこうじゅ》をやっておきながら、孔子の名前を冠した機関を世界の大学に置くというのも実に厚顔と言えます。

世界中が中国と付き合うリスキー性に気づき始めた

ケント　これからアメリカは、研究者を受け入れないなど、かなり厳しい態度をとっていくと思いますよ。最先端の技術研究分野のチームに中国人が入っていたら、その経歴を含めてきっちり調査するはずですし、マークすると思います。場合によっては、追放、あるいは検挙ということもあり得ます。

防衛問題も重要です。アメリカはこれまで南シナ海にはあまり力を入れてきませんでしたが、現在はこれ以上中国が影響を拡大しないように、積極的に阻止しようとしています。今までは中近東で忙しかったたし、何しろアジアは広くて大変なんです。しかし、今は注力しています。

石平　トランプ大統領の仲介で、このほど、イスラエルとアラブ首長国連邦（UAE）が電撃的な国交樹立を果たしました。この一手は大きい。もちろん、イラン包囲網というのが主の目的ですが、同時にこれで、中東に向けていた神経を中国に集中できます。

ケント　中国を封じ込める。中国の封じ込め政策が良くないというのは、オバマ政権の考え方でした。封じ込めるのではなくて、協力し合うという昔の考え方を続けていたわけです。

石平　自称リベラル派の言いそうなことですね。

ケント　トランプさんは、それをぴしゃりと拒否しているわけです。

グローバリズムの欺瞞《ぎまん》というものを彼はよくわかっていました。中国がグローバリズムで大いに儲かっていました。習近平がヨーロッパに行ってエリザベス女王の国賓として晩餐会に招かれたり、何兆円もの貿易取引を決めたりしたんですが、結局、トランプさんが吠え続けることによってヨーロッパ諸国も気づいたんです。ヨーロッパ諸国と約束したプロジェクトはほとんど実現していません。中国のうまい話は信じないほうがいいっていうのがみんなわかったんです。それはトランプさんの世界に対する大きな貢献だと思いますよ。

石平　それは実は、トランプだけの貢献じゃないね。それはちょっと不公平よ、今の言い方。もう一人、忘れちゃいけない功労者がいる。習近平ですよ（爆笑）。

ケント　そうですよね。バカだからね。逆に言えば、習近平がバカだから世界が目覚めたということになります。なら、習さんにも感謝だ（笑）。

石平　トランプはよく、ビジネスマンだ、商売人だ、と言われたりしますが、同じ商売人でも日本の経団連のじいさんたちとは大違いです。経団連はいまだにグローバリズムの夢にすがっていて、中国を卒業できません。結局、彼らは政権の足を引っ張っているだけなのです。

ケント　そのうち、いやおうなしに踏み絵を踏まされることになりますよ。

石平　天安門事件の余波の収束を待って、中国は愛国心教育をやり出したんです。ナショナリズムの教育を、徹底的にやり出したわけですよね。その一環として、反日教育を推し進めていきました。南京大虐殺だとか、三光作戦だとか、今まで言い出したことがなかった〝日本軍の悪行〟を学校で教え始めたんです。私の子どものころには「南京大虐殺」なんて聞いたこともなかったよ（笑）。要するに、日本に対する憎しみと敵対心を植えつけることによって、ナショナリズムをあおるやり方を始めたんです。

国防動員法という法律もつくりました。共産党政府がいざ有事と判断すれば、中国のあらゆる組織のヒト、カネ、モノの徴用が合法化されるという法律です。これは中国に進出している日本企業も同じです。例えば、中国とアメリカの間で何らかの軍事衝突が起これば、いや、起こらなくても中国政府が「有事」と認定さえすれば、トヨタの工場も日産の工場も徴収されるわけです。下手すれば、日本人の社員、スタッフだって人質にされかねません。日本企業の口座凍結まで規定しています。こんなリスキーな国からは、さっさと撤退したほうがいいんです。

ケント　しかも、この法律によれば、海外にいる中国籍保持者は「国防勤務を担う義務」を負います。中国からきた留学生や社員が、突然、工作員となって破壊行動を取ることも考えられます。

石平　反日教育に洗脳されている中国の国民がそれなりの数はいるんですよ。中国の規模での「それなり」ですから、やはり億単位です。彼らは、中国政府に対するロイヤリティ（忠誠心）を持っている。ですから、外国に行ったとしても、やっぱり自分は中国の手先だという意識は持っていて、しかも、それが善だと思っているわけです。これが非常に厄介な部分です。

コロナウイルス騒動のとき、アメリカにいる中国人がいっせいにマスクを買い占めて本国に送っていましたが、あれはその第一段階です。

ケント　そう。しかもひどいのは、アメリカでマスクを買い占めて、国内にインターネットで報告するんです。何を報告するかというと、「私がきょうは何軒のスーパーを回ってマスクを全部買い占めた。まぬけなアメリカ人はもう死ぬしかないだろう」とＹｏｕＴｕｂｅで堂々と言っている。そんな動画を観て怒らないアメリカ人はいませんよ。

石平　それだけじゃありません。マスク不足でアメリカ中が大変なことになっているのを後目《しりめ》に、「アメリカはコロナ抑え込みに完全に失敗しているが、われわれは成功している」というふうな宣伝をＷＨＯを通して世界にばら撒きました。そしてアメリカや日本からかき集めたマスクを、お金を出してもマスクが手に入らないイタリアやスペインに売って、まるで救世主気取りだったんです。

中国は国際機関や大学を買収し、それがバレている

ケント アメリカ国内においてもプロパガンダ活動がすごく盛んなんですよ。アメリカの左巻きのマスコミは、中国の手先になってそれを広めているわけです。例えば、トランプ大統領が「中国ウイルス」や「武漢ウイルス」と言うと、それは人権問題だと抗議するのがアメリカの左巻きのごくつぶしですよね。中国系アメリカ人に対する差別につながるとか。

左巻きの連中は、中国とWHOとの結託に関しても、「中国が情報をちゃんと公開した」と一生懸命言っていました。WHOもそう言っていたんですが、最近、WHOはやっぱりアメリカからの圧力があって中国の隠蔽工作を認めたんですよね。中国のプロパガンダを嘘だと見抜いている人がすでに多いのに、一部の左巻きのマスコミが、中国のプロパガンダをそのままオウム返しに言っている振る舞いには驚き、呆れます。

石平 中国国内の宣伝機関は当然のことながら、アメリカのコロナ対策の出遅れを歓迎し

ました。医療崩壊、ニューヨークやカリフォルニアなどの大都市での感染爆発、大量死、それを見て笑ったわけです。「アメリカは終わった」と。

それから、ミネソタから全米に広がった暴動。これも中国当局からすれば、してやったりですわ。例えば、アメリカが中国の香港弾圧を批判するでしょ。中国は今度、「おまえたちも軍隊を出すじゃないか。デモを鎮圧するじゃないか。それで、黒人がアメリカの体制に抗議しているのではないか」と主張する。

これが彼らの得意の論法なんです。自分たちの失点を棚に上げて、あるいは相対化させて、相手を責める。決して自分たちの非は認めようとしない。

この先は、あくまで私の推論というか、推理になるんですが、おそらくは、Ａｎｔｉｆａの背後には中国がいるんじゃないかと思っています。単に、１人の黒人青年が警察官に殺されたという事件なら、たとえデモが起こってもミネアポリス内で収まっていたんじゃないかと思います。

ケント　今、暴動の資金源については調査していると司法長官が発表していますね。国内テロ勢力のＡｎｔｉｆａのバックに誰がいるのか。犯罪組織、外国勢力、無政府論者の富豪家。それを現在、調査しているところです。

アメリカで今、大変に敏感になっているのは大統領選挙に対する中国の関与です。中国がサイバー攻撃等で介入しているということは、米国のインテリジェンス・コミュニティ(情報団体)から報告されています。わかりやすく言えば、バイデン上げ、トランプ下げ。これだけでもバイデンに投票しちゃ危ないということがわかるわけです(笑)。この事実はもうすでに、把握されているわけですから、アメリカ人は強い懸念を持ち、憤りを覚えているのです。

石平　私は逆に、そういう真相がもし明るみに出て、中国共産党が背後にいるということが判明したら、そのときこそ、アメリカ人はみんな目覚めると思います。

そういう事態になったら民主党も、自分たちと中国の関係をもう一度考え直さなければいけなくなります。最近、台湾でも同じことが起きました。総統選です。民進党と国民党が争っていました。国民党が出した候補が韓国瑜《かんこくゆ》さんです。この人が親中派で高雄の市長になったとき、中国を訪問して中国にこびを売り、中国の主張に賛成して、中国との間で商売をやっていました。その人が結局、総統選で見事に負けました。ついでに、高雄市長の座からも転げ落ちました。

ケント　リコールされたんですね。

石平　リコール運動が起きて、結局、見事にリコールされました。そうなると、今後は国民党も「俺たちはもう中国と関係はない」という姿勢を示さないとまずい、ということになってきた。今、台湾で親中だと政治的にもう目がありません。

アメリカもいずれそういうふうな流れになるんじゃないかな、と思います。

ケント　すでになっています。ただ、親中派というか、「パンダ・ハガー」は根強く存在するわけですよ。特に教育機関は中国マネーを狙って、中国人の研究者を入れるわけです。そうすることによって、中国からお金が入ってきます。これも大きな国家安全保障問題だと思います。

石平　ハーバードもそうでした。ハーバードは、中国共産党政権にとって攻略の第一の目標でした。あらゆる手段を使って、特にお金にものを言わせてハーバードを買収しました。

ですから、中国国内でみんな、こういう笑い話、ジョークを言います。中国共産党には中央党校という学校があるんです。中央の党の学校。要するに、党の高級幹部を養成する学校です。ですから中国人は、みんな冗談で「ハーバードは中国の第2の中央党校になっている」と言っています。ハーバードに対する中国の浸透はそのくらいひどいんです。

ケント　そうですね。それと、国連等の国際機関を利用するやり方があります。国際民間航空機関（ＩＣＡＯ）では、キーポジションを牛耳って、会議に台湾が参加することを禁止しています。２０１４年に国連の国際電気通信連合の事務総長が中国人になってから、中国が推し進める「デジタル一帯一路プロジェクト」に対して支持に回りました。このプロジェクトは、中国が世界で最も先進的な通信ネットワークを支配するのを可能にすることと、インターネットを権威主義的支配に役立たせることを目的としています。国連人権理事会においては、中国の代表は、中国政府を人権侵害の精査から守ろうとする一方で、国家の主権、社会的調和、その他の特徴に関して自由よりも独裁に適した代替概念を推進しています。国連経済社会局の中国人の事務局長は、中国政府が新疆《しんきょう》の極西地域でウイグル民族を弾圧していることに抗議している人々や組織を否定するために彼の立場を利用しました。中国政府はまた、インターポール、世界知的所有権機関、そして世界情勢に静かに影響力を行使するほかのあらゆる重要な機関の長に中国人を配置しようとしています。

これらの活動はすでにバレているので、トランプ政権は強硬な姿勢をとっています。それによって、左派の親中連中に反感を買っています。

トランプは金では動かないことに中国共産党は驚いた

石平　先ほどのケントさんのお話にもありましたが、民主党は基本的に黒人層をバカにしているというか、上から目線で見ています。「ちょっとエサをあげたら、すぐ俺たちについてくるさ」と本気で見下しています。もう、当の黒人層も彼らのそういった態度を見透かしているんじゃないですか。

ケント　そうですね。特に民主党の議員は、今回の大暴動を野放しにしてしまいました。白人の企業も損はしましたが、多くの黒人の企業が被害に遭ったわけです。恐らく、被害を受けた人たちは二度と民主党に投票しないでしょう。

石平　そうでしょうな。

ケント　ミネアポリスが暴動でめちゃくちゃになりましたね。そうしたら、市が黒人優先でいろんな補助金を出すんだなんてことを発表しました。相当な金額なんですが、「それに関しては、連邦政府が持て」と言い出しています。トランプ政権はそんなお金を負担することを拒否しています。国民も、「冗談じゃねえや」という態度です。ミネアポリス市が野放しにして、警察署もそのまま放棄していたのに、なんで平和なユタ市の私の税金から彼らに払わなければいけないのかと（笑）。そのへんはこれから激しく争われることになるでしょう。

石平　となれば、中国も必死ですね。習近平の運命は場合によっては、トランプが再選するかどうか、それで決まるかもしれません。ですから、習近平も必死になります。

ケント　中国はトランプ落選に向けてさまざまな工作を弄《ろう》してくるでしょうし、先ほど紹介したように、現に仕掛けています。

石平　しかし、再選してしまったらどうする気だろう。当然、あと4年、曲者のトランプとつき合わなくてはいけなくなります。そのときのための戦略を練る余裕もアタマも現在の習近平にはないでしょう。ですから、ひたすらトランプ落選を祈るのみとなっています。

ケント　結局、習近平はトランプを舐めていたんですよ。「今度のアメリカの大統領はビジネスマン上がりの商売人？　しめしめ、一番扱いやすい相手だ」とタカをくっていたでしょう。

石平　そう。トランプが初当選の時、おそらく、トランプが大統領になって一番喜んだのは習近平かもしれませんね。

中国共産党の連中こそ本当に拝金主義で、しかも彼らは唯物史観ですからね。精神を信じないから。モノがすべて、経済がすべて。お金がすべてで。ですから、同じ目線でアメリカを見ます。商売人の大統領だから、お金に弱いはずだ、と。例えば、トランプの娘さんとか娘婿の会社に利権のひとつふたつでも握らせれば、つべこべ言わないだろう、と。ひょっとするとクリントン夫妻よりも安上がり、ぐらいに思っていたはずです。

ですから、彼らが信じられないのは、トランプが大統領給与を1ドルだけもらって、あとの全額をすべて寄付しているという話。これには本当に驚いたらしい。

ケント　トランプさんを利権や札束で釣ろうと思っても、彼は動きません。そういう彼の存在を中国共産党は信じられないでしょうね。

石平　しかし考えてみれば、トランプはあれほどの富豪になって、大統領になった。お金のために動く意味がありません。お金のためを考えるなら別に大統領にならなくてもよかった。というのは、人間は結局、お金があればその後は、もっと次元の高いものを求めます。そこを中国共産党はわかっていなかった。そこがある意味では、中国のアメリカに対する最大の誤解でした。

ケント よく日本でも、庶民の感覚で国政を、とか、台所から政界へ、とかを選挙のキャッチフレーズにする人がいますが、そういう人ほど利権に弱い(笑)。いい例が田中角栄です。

一国二制度の終わりとともに香港は死んだ

石平 少し香港問題についてお話ししましょうか。

ケント 中国共産党も香港がわかっていなかったのです。彼らも香港を力だけで抑えれば、「香港人は、実利以外は考えないから」と思っていました。実際、香港も財界、政界にはどうしようもない人が多い。例えば、芸能界がそうでしょ。中国が国家安全法を成立させて芸能界で一番先頭に立って賛成、支持を表明したのは誰か？

石平 ジャッキー・チェンやな。あいつは映画の中で、よく権力に対抗する英雄を演じるでしょ。生活の中では正反対ですわ。もう権力に媚びまくりですわ。

というのも、彼らにとって香港の市場は小さいから、大陸で稼がなければならない。それを守るために中国共産党の言いなりなんです。香港の財界にも、そういう人がいるんです。香港の官僚にも、そういう人がいる。保身がすべての人たち。しかし、大半の香港のエリート、知識人は、みんなそうではありません。みんな当然、経済利益も大切ですが、やっぱり、自由、人権を重視します。自分たちの権利を守るという意識が高い。そうなると、どうしても力で押さえつけることになる。それは、中国はできるよ。香港は中国だから。実際、今、香港に人民武装警察を送っています。

ケント　香港は止めることができないでしょうね。

石平　香港国家安全維持法が施行されましたので、中国は香港に秘密警察の手先機関を堂々とつくります。そうなると、香港全体が中国の秘密警察の監視と取り締まりの下に置かれてしまいます。

ケント　それを阻止する方法が見つかりません。私は、だから香港に関しては悲観的なんです。

石平　私は、もう手遅れやなと思う。では、どういうこと起きるかというと、イギリスが上手やね。300万人の香港市民にパスポートを出すでしょ。みんなもう一斉にお金、技術、ノウハウ持って外国に逃げたり、シンガポールに行ったりします。台湾も今、香港の人たちを受け入れるという政策を取り始めています。

ケント　カナダも受け入れるでしょう。アメリカも受け入れるでしょう。

石平　香港人は英語圏ですから、イギリスに行けば香港人はそのまま生活できます。しかも、金融などいろいろなノウハウを持っていますから、そのままイギリスで就職できます。台湾に行ったら、そのまま有能な人材として雇われます。

そうなると、香港には何も残りません。しかも、香港の経済を支えているのは、実質はアメリカ企業です。

ケント　多くのアメリカ企業は本拠地を香港に置いて、大陸で商売をしているわけです。それらの企業が香港から引き揚げてしまうと、かなり大陸のほうに悪影響があるんじゃないですか。

石平　そういう意味では、習近平は本当に大バカですわな。要するに、自分たちにとってのお金が入ってくる窓口、金の卵を産むニワトリを殺して。しかも、イギリスとか台湾に差し上げるんです。

香港は閑古鳥が鳴くことになります。中国は、香港に代わる国際金融センターを深圳あたりに置くと息巻いていますが、そんなもの……。

ケント　誰が行くか、ということですね。おっかなくて。

なぜ香港が中国の金融センターになりえたかといえば、香港ドルと米ドルが完全に連動しているからです。中国は香港を通して米ドルを好きなように手に入れてきました。これからは、それを絶つことになります。深圳は中国のシリコンバレーの役目は担えても、香港の代わりにはなりえません。上海しかり、です。

しかも、中国が香港国家安全維持法を制定した後、米国が制定した香港自治法に基づいて、トランプ米大統領は、香港に対する経済的な優遇措置を終わらせる命令に署名しました。香港は「中国本土と同じ」扱いを受けるとトランプさんは発表しました。

石平　米ドルとリンクしなかったら、香港ドルの価値は一瞬で終わってしまいます。香港ドルは米ドルを核にしているわけです。香港はそれで終わり。ただし、アメリカも返り血は浴びます。多くのアメリカ企業は何らかのダメージは受けるでしょう。

しかし、いずれにしても、香港はこれである意味、歴史的な役割が終わったんです。せっかく、イギリス人が１００年以上かけて、金融センターをつくり上げ、中国に丸ごと差し上げたのに、中国が自らこれを捨ててしまいました。

ケント　国際社会が中国に対して何かの圧力をかけて、この動きを止めることができると思いますか？

石平　今の習近平ならば無理ですわな。たとえば、Ｇ７で香港の一国二制度を堅持せよと共同声明を出したとしても、馬耳東風でしょう。「香港は中国の子どもだ。俺が俺の子を殺そうが生かそうが、他人が文句を言う筋合いがあるか」――習近平は平気でそれくらい開き直るつもりです。
もう、香港が中国の一部になっている以上、終わりでしょうな。アメリカにできることは、あとは選択。香港は捨て置く気で、今度は台湾を死守しないと。もうその段階にまで来ています。

台湾はこれからどうするべきなのか？

ケント　香港の機能を台北に持っていくというのはどうですかね？

石平　台湾は今、それも考えているんです。だから、香港の人材を大量に受け入れると言っています。ただし、香港人は結局、イギリスと台湾、どちらを選ぶかと問われれば、みんなやっぱり、イギリスを選ぶんですわ。

ケント　気候的には台湾のほうが香港に近い（笑）。

石平　香港人はやっぱり、台湾の将来にもある程度、不安を抱いているでしょう。

ケント　確かに、台湾にはけっこう、中国共産党のスパイもいますし。

石平　要するに、台湾がまだ国際社会から独立国家としてちゃんと認められていない。今後認められる可能性も高いですが、いずれ台湾が中国に併合されてしまうリスクもゼロではありません。香港人からすれば、せっかく中国から逃げ出したのに台湾が中国に併合されたら、また同じことになってしまいます。そういうところで香港人はやっぱり、イギリスから声を掛けられたらイギリスに行くんです。

ケント　台湾も難しい立ち位置にあります。一時から見れば、「俺たちは中国人ではない。「台湾人だ」という意識、要は台湾人アイデンティティは十分に醸造されています。「台湾民主化の父」と呼ばれた李登輝さんの死で、その団結感は一層強固になるでしょう。

独立というのも実質上は、もう独立している。というのは、国があって軍隊がある。自分たちの総統を選挙で選んでいます。ただし、独立宣言をすれば、中国が軍事介入してくるのは目に見えています。ですから、現状維持が今のところ良策なんです。

石平　そう。中国侵攻の口実を与えてしまいます。台湾が独立宣言をすれば中国共産党政権も軍を出さざるを得ないという状況でもある。ですから、独立も宣言しない。ただし、中国に統一されることも拒否する。

というのは、もう一つの問題が台湾側にもあります。現在、名目上、台湾は「もう一つの中国」ですよ。台湾は現在、中華民国でしょ。だから、蔡英文さんは名目上は、台湾の総統じゃないんです。中華民国の総統なんです。そこがまた台湾が抱えるジレンマなわけです。

ケント　蔣介石の時代は、「うちらが本家本元の中国だ」と言っていました。ですから、「共産主義のニセ中国である大陸を解放するんだ」という理屈で対抗していましたが、この戦略は賢くなかった。かえって大陸に足を絡めとられる結果になりました。しかも、国連脱退で、よけいに説得力を持たなくなってしまいました。もっとも、蔣介石に台湾独立のヴィジョンがあったかといえば、なかったとしか思えません。彼にとって、台湾総統はあくまで都落ちでしかなかったんです。

そのあとに出てきた李登輝総統の（両岸問題は）「ひとつの国とひとつの国の問題」という言葉は見事だといえます。

石平　本来、台湾は中国と無関係で一つの独立国家なんですが、歴史的にそういう経緯があって、実際は台湾にあるのは大陸から台湾に移った中華民国政府。蔡英文さんも、総統に就任するときに宣誓しますが、宣誓は誰に向かって宣誓するかというと、中国人の孫文です。要するに、孫文が中華民国をつくった。蔡英文さんだって、彼の肖像写真の前でそう宣誓しました。

ケント　日本人もそうですが、なぜか孫文を過大評価していますね。彼は肝心なときにハワイにいたし、演説と人脈・パトロンづくりに長《た》けた男というのが、せいぜいのところでしょう。

石平　台湾にはもう一つ、勇気ある選択肢が残っています。もう中華民国をやめる。台湾共和国を宣言する。要するに、名目を変える。しかし、これもまた中国に軍事攻撃の口実を与えることになります。ですから、それに関しても台湾は慎重なんです。

ケント　現在、台湾は踏ん張って我慢して、中国の自滅を待つ。これしかありません。幸い、アメリカは本気で台湾を守る気を見せていますし、李登輝氏の葬儀に1979年の断交以来、最高位の高官であるアレックス・アザーアメリカ合衆国保健福祉長官を送っています。ここで蔡英文総統と安全保障を含めたかなり密な会談が行われたと思いますよ。

中国に対しては兵糧攻めが最も効果的

石平　中国の自滅は台湾にとっての最良のシナリオです。ただ、その可能性に関しては今のところ未知数。しかし、現在の中国の体制はますます行き詰まっています。要するに、袋小路に入っていることは確実です。中華人民共和国の崩壊が、習近平政権で起こるのか、それとも彼の失脚後に起こるのか、1年後か5年後か10年後か、あるいは年内か、ちょっと読めません。

ケント　ただ、中国国民が国民総動員法によって国を守るために頑張らなければ駄目だというふうに、かなり徹底的に洗脳されているような気がします。それはどうなんですか。中国崩壊の危機に逆バネが働いて、いっそう混沌としていくというか。

石平　それはまた海外が中国に対して抱いている大きな誤解です。はっきり言って、中国の大半の人には最初から国家の観念がありません。みんな一族が大事ですから。国というものを信じている日本人とは違います。

ただし、いちおう、洗脳されるなかで愛国とか、愛国主義とか、アメリカを上から見下す、そういう気持ちも一部分はあります。しかし、中国人は究極の選択肢、「あなたが自分の一族を守るか、それも、自分の一族を無視して国に奉仕するか」と訊かれると、99・99999パーセントの中国人は、「国なんてどうでもいいわ、最後は自分の一族を選ぶ」と答えます。例えば、戦争になった場合、大半の中国人は、自分たちをどう守るかと考えます。

ケント　しかし、香港の若者は事情が違うでしょう。台湾人アイデンティティもそうですが、今回の一連の騒動で、香港人のアイデンティティは一気に固まってきました。

石平　実は、中国でも若者が立ち上がったことがあります。この国を少しでもよくしよう、自分たちで変えていこうとね。それがあの天安門事件です。それがどういう結末を迎えたかは、ご承知のとおりですが。まあ、でも今の中国人にそんな気概や愛国心なんて期待するほうが無理でしょう。

ケント　香港の若者にはそれがあるんでしょ？

石平　ええ、まだ香港には。ただ、中国人の大半はもう気力がないよ、今はね。ですから、中国人はよく言うのよ。「今後、中国はどうなるか」というと、「優秀な頭脳がみんないずれかアメリカに吸収されるだろう」とね。頭のいいやつはアメリカ、金持ちはみんな、カナダ、オーストラリアで、良心を持っている中国人はみんな刑務所行き（笑）。一番アホなやつが今、中南海（日本における「官邸」や「永田町」の意）におる。それが中国の悲しい現実です。

ケント　香港の独立は、おそらく当面は無理でしょうね。期待できるとすれば、やはり、中国共産党の崩壊です。旧ソ連が崩壊したら、ウクライナをはじめ、いろんな国が独立したでしょう。それと同じように、中国が崩壊すれば、台湾独立はおろか、ウイグル、チベット、そして香港と、独立のチャンスはめぐってきます。

石平　あとはどう崩壊させるか。ああいう核も保有する軍事大国に軍事侵攻して崩壊に導くという手段は使えません。やはり、ある種の自滅を誘発する方法。レーガンが軍拡競争で、ソ連を追い詰めたような。

ケント　ただ、当時のソ連とアメリカの間では経済関係はほとんどなかったですからね。現在の中国にまったく同じ手は使えません。

石平　そう。ですから兵糧攻めが一番。経済的に巨大な結びつきあるからこそ、中国を潰すのに抵抗がある。やっぱり、アメリカ自体の経済利益も考えますから。しかし、逆に大きな経済的な結びつきがあるからこそ、その結びつきを断っただけで中国経済が終わるということです。中国経済が終わってしまえば、政権ももちろん持ちません。

ケント　トランプは中国製品に50パーセントの関税をかけると言っています。たぶん、単なる脅しではないはずです。

石平　恐らく、トランプも2期目になったらこう宣言するでしょう。中国が約束を守らなければ、全中国製品に対して50パーセントの関税をかける。中国はそれで終わりや。かけたら恐らく、中国のものは完全にアメリカに入って来なくなる。そうでしょ。50パーセントの税金を払って入ってくるものを、誰も買わないよ。

中国に対する手段としては、自由世界ができるのは一番の手段が兵糧攻めですわな。要するに、ヤクザに対抗する一番重要な攻撃は、ヤクザの資金源を断つこと。日本の警察もそれをわかっています。ヤクザの資金源を断ったら、ヤクザも終わりということを。

ケント　あとはＡＩの問題がありますね。ＡＩを抑えないと。

石平　それは中国に奪われたら絶対に駄目です。ですから、アメリカも現在、必死なわけです。幸い、今イギリスもそういう問題を認識しました。イギリス、日本、アメリカで、みんなＡＩの世界でファーウェイを排除して自前のモノをつくりあげる、と。ですから、ケントさんたちのところに頑張ってもらわないと、世界が救われないから。

ケント　アメリカを中心にして世界規模でファーウェイの追い出しを図っているのに、日本にはこの期に及んで、まだ中国と合弁会社をつくる企業があります。

石平　ファーウェイと心中するつもりか、と。日本の経営陣は、いまだに中国幻想から抜けきれないでいます。中国は、はっきり言って日没する国です。

日本はもはや中国に利用される存在ではない

石平　逆に今回、アメリカから封じ込められ、さらに香港まで失ってしまったら、中国にとって日本の利用価値——資金調達、投資、輸出——が高くなってきます。中国は、困ったときは必ず日本を利用します。困った状況から脱出するときには日本を叩きます。しかし、中国にとって今まで一番おいしかったのは、叩くにしても利用するにしても日本が文句を言わないということです。日本人は叩かれても文句を言わない。利用されても文句を言わない。なんでも中国の好きなようにされる。これまで中国にとって日本は、そんな都合が良すぎる存在でした。

いい例が、天安門事件で国際社会から孤立しそうになったときです。中国は自民党の媚中派を動かして、天皇陛下の訪中を成功させました。あれで、一気に世界の反中がトーンダウンしたんです。中国からすれば、してやったりです。では、中国は日本に感謝したか。天皇陛下に感謝したか。違います。むしろ、第二の天安門事件が起きないように、国民を反日でまとめ上げようと、反日教育を徹底化させました。南京にある、あの怪しげな大虐殺記念館をリニューアルさせたのもこの時期です。

ケント　同じころ、尖閣へのチョッカイも本格化しましたね。「(尖閣の問題は) われわれの子孫の知恵にまかせましょう」というおためごかしにだまされて喜んでいるうちに、向こうはちゃっかりと侵略の機会を窺《うかが》ってきたんです。そもそもは、日本の領土なのだから、何を「子孫の知恵にまかせる」んだ？

石平　ですから、はっきり言って日本は、そういう中国に叩かれて利用されて、それでも中国に寄っていくという情けない姿勢でした。しかし幸い安倍政権になってから、徐々に変わってきたんです。でも、それでもやっぱり……。今でもまだ日本のなかに、習近平を国賓として迎えたい連中がいるわけじゃないですか。

ケント　逆に言えば、日本にとってはチャンスかもしれません。今なら、多少中国に対して強気の態度を示しても、中国は何もできません。堂々と尖閣に海上自衛隊を出すべきです。中国が日本を利用しようとたくらんでいるなら、逆に日本が彼らを利用してやればいい。

そこまでの度胸が日本政府にあれば、の話ですが。

第五章

コロナショックで証明された力で日本はアジアの盟主になれ！

ポンペオ演説は後戻りできない中国への宣戦布告

石平　２０２０年7月23日にポンペオ国務長官が素晴らしい演説をしました。私は日本経済新聞紙上の日本語訳で読みました。アメリカがこれまでの対中政策の終了を宣言した歴史的な演説で、一字一句すごく興奮して読みました。反面、「遅すぎたなあ」という思いも正直ありました。この内容の演説が、天安門事件の直後に行われていたなら、どんなにか嬉しかっただろうかと。

ケント　天安門事件は１９８９年、当時の合衆国大統領はジョージ・Ｈ・Ｗ・ブッシュ、国務長官はジェイムズ・ベイカーの時代ですね。言い換えるならば、あの民衆虐殺事件のあと30年間も、「まだ中国には民主化の目がある」とアメリカや世界はだまされ続けたということになります。

石平　演説の中で最も注目すべきなのは、中国と中国共産党を完全に区別して、「中国共産党の独裁体制こそ、自由世界の敵である」と宣言したことです。すごく画期的な認識だと思います。要するに、「アメリカが自由世界を団結させて連携をつくって、この悪の帝国——ある意味では人類歴史上、最悪にして最後の悪の帝国——に対する宣戦布告をしたのではないか」と、私は思ったんです。ケントさんはどう見ていますか。

ケント　ポンペオさんのスピーチに関しては、私も同様の感想です。中国、あるいは中国人と中国共産党を明確に分けることによって、党の横暴に反感を覚える中国国民へのアピールにもなりました。実は、ポンペオ演説と前後して、アメリカ政府の3人の要人が対中演説を行っているんです。4人が役割分担というか、相互補完の形で話しました。

1人は司法長官のウィリアム・バーさん、彼は7月16日の演説の中で、「マイクロソフトやアップルといったIT企業やディズニーのような映画会社が、中国での事業展開のために中国共産党の宣伝戦の手先になっており、協調しようとしすぎている」と指摘したのです。7月24日にはロバート・オブライエン大統領補佐官が、中国が香港に導入した「香港国家安全維持法」を、「高度な自治の維持を破るものである」として制裁の対象であることを明言しています。それらに先立つ、7月7日、FBI長官のクリストファー・レイ氏が、有名なシンクタンク・ハドソン研究所でのスピーチで、「アメリカにとっての最大の脅威は中国のスパイ活動と技術盗用である」と言っています。ハドソン研究所というのは、ペンス副大統領が米中新冷戦を宣言した場所としても知られていますね。

石平 ほほう。この一連の対中演説は、アメリカ国内ではどう受け止められているのですか。

ケント 例によって左巻きメディアは批判しています。「ここまで強硬な態度を見せたら、たとえトランプが落選しても、中国との関係は後戻りできないくらいに悪化してしまうぞ」といった論調です。

石平 私としてはよくやってくれたと（笑）。例えば、万が一、トランプ大統領が再選できずバイデン政権になってしまったとしても、まさに左巻きの人々が言うように、もう後戻りができないところまで中国に対する封じ込めを徹底的にやってほしいですからね。むろん、トランプ再選がベストなんですが。

ケント 逆にここまで来ると、バイデンに任せられないでしょう。アメリカはリングに上がってしまったわけですから。

石平 おそらくポンペオさんだけの話ではなく、アメリカが数十年間にわたって、ニクソンの訪中以来ずっと中国にだまされ続けて、中国のために利益を提供して太らせ、巨大化に手を貸してきた。その結果アメリカが気づいたのは、「この中国共産党の体制が、もうアメリカにとっての敵だけではなく、自由世界全体にとっての敵だ」ということ。ですから、もうこれはアメリカだけの戦いではなくて、自由世界の住人すべてにとっての戦い、聖戦ですわな。

ケント　驚いたのは、バイデンが記者の質問に対して、「もし私が大統領になったら、トランプ大統領が行っている対中関税25パーセントをただちに止める」と答えているんですよ。

石平　危険やな。そういう意味では、バイデンが非常に危ないんですわな。

ケント　バイデンに限らず、民主党というのは、中国に儲けさせてもらったような部分がありますしね。バイデンの息子は中国企業の幹部だったこともあります。

そのバイデンですが、予備選挙のときにも、「中国の脅威についてどう思うか」という有権者の質問にこう答えていました。「彼らはいいやつらだよ、本当に。アメリカの競争相手にならないよ、あれ」。

石平　バイデンは、そういう立場でしょう。中国と個人的な人間関係もあるでしょうし、それはわかるんですよ。ただし、彼の政権になったとしても、アメリカの国民自体は親中に傾くのではなく、むしろ中国に対しても非常に厳しい目を向けると思うのですが。いかがでしょうか？

ケント　アメリカ国民は中国に対して厳しい目を向けています。例えば、香港自治法です。これはアメリカの上院下院ほぼ満場一致で通りました。「香港の自治の維持を侵害する外国の企業、団体、金融機関とは取引を禁止する」という非常に厳しい法律です。アメリカという国は、共和党であれ民主党であれ、右であれ左であれ、「自由」「人権」という言葉には敏感なのです。反対する要素はありません。それなのに、「なぜ、これまで中国の人権侵害を見て見ぬふりをしてきたのか」と言われれば、ちょっと答えに窮《きゅう》しますが。

中国共産党内部の混乱を引き起こす香港自治法

石平　実はこのポンペオ演説に対して、中国の王毅《おうき》外相が、8月6日に、新華通信社のインタビューに答える形で反応しているんです。ここではポイントを二つだけ挙げます。

ひとつ目として王毅が強調しているのは、「われわれ中国共産党はもう中国人民と一体化しているので、中国共産党を中国人民と分割させる、そんなことはもう不可能ですよ」ということです。「われわれ中国共産党は中国人民の支持を受けていますよ」という嘘の弁解です。

ふたつ目に王毅が非常に強調するのは、「アメリカと対話したい」です。「アメリカと物別れしたくない。離婚させられたくない。あらゆるレベルでアメリカとの対話のチャンネルは維持しているよ」ということです。さすがに、中国共産党もここへ来てトランプに弱音を吐いているんです。

だいたい、中国共産党は自分たちが強いとき、自分たちが敵に対して有利な場合は、「対話」なんて言いません。彼らが対話と言いだしたときは、窮地に追い込まれたときです。しかし、恐らく中国がいまさらトランプ政権と対話するのはあり得ません。トランプ政権も、もうそんなことに対して興味はないでしょうからね。

ケント　香港自治法の制裁措置は相当なものなんですよ。民主主義を主張する人たちに対して弾圧を行った場合、行った本人も、その組織も、制裁措置を受けるんですね。しかも、その弾圧をした組織に対して資金を出した人とか、その資金を扱った銀行であるとか、これらが全部制裁されるんです。アメリカにある財産が全部凍結されるとかね。それから香港4メイン銀行ってあるんですけれど、HSBC銀行、ハンセン銀行、この二つはイギリス系の銀行、あとは中国銀行と東亜銀行。このメイン4銀行で、アメリカにおける資産が凍結されてしまう可能性があります。

この法律とは別に、香港に対して優遇措置を取っていたんですよね。中国本土とは異なり、アメリカ人が香港に渡航するのに査証《ビザ》が免除されていた。さらに、アメリカと香港の間の関税は非常に低く設定されていた。これが二つともダメになる可能性が高い。香港の世界的な金融ハブとしての地位と、中国にとっての国際金融市場への玄関口としての役割が損なわれる可能性が高い。そのため、外国人がかなり流出しています。

石平 香港自治法は中国にとって大きな打撃になります。

香港の法治とか、香港の民主主義を破壊した、あるいは香港の人々を迫害した共産党の幹部、あるいは香港の行政府の幹部個人に対しても制裁を加えるのは、彼らが一番怖がることですよ。

ケント そうなんですよ。香港の政府の官僚であるとか、警察であるとか、それもすべて対象になるんですよね。

石平 「これが中国共産党内部の混乱を引き起こすことになるのではないかな」と私は思います。というのは、幹部たちが制裁を受けると、恨みがやっぱり習近平へ向くんです。「習近平が香港国家安全維持法を強行したから、自分たちの財産までもが制裁を受ける」と。

ですから、みんな恨みを習近平のほうへ持っていくんですよ。

ケント　私が予測するのは、アメリカの大統領選挙があるまでは、例えば、香港民主化運動のシンボルである周庭《アグネスチョウ》さんを見せしめのために、申し訳程度に拘束しましたが、「大量逮捕とか一般の運動家を中国本国に護送するような露骨な弾圧行動は行わないのではないか」ということです。

石平　習近平も、これ以上やったら大変なことになることを何となく理解したでしょうし、もう一つ言えば、実は中国共産党の幹部も、今は、もうやりたくないんですわ。というのは、習近平の指示に従って弾圧をやり過ぎたら、あとは制裁を受けるのは自分と自分たちの親族だというのは明白ですからね。

ケント　そうなんです。大体そういう人たちは、アメリカに財産を持っています。それが凍結されてしまうんですね。

香港の優遇措置の廃止により、香港で事業を行う1300以上の米企業が対応に苦労する可能性があります。先ほどお話しした査証や関税の問題で、年間数百億ドル規模の両国の貿易は今後が危ぶまれています。

石平　ニューヨークに本拠を置く、華人向け反体制メディア・新唐人テレビが香港筋の情報として伝えたところによると、アメリカには同盟国と連携して、中国共産党幹部が海外に持つ資産をすべて凍結して、コロナウイルス被害への賠償に充てる計画があるそうです。総額で10兆ドル規模、そのうち一番多いのは江沢民とその一族の資産1兆ドルだとか。もし、この情報が確かならば、大変なことになりますよ。習近平は江沢民一派の大変な恨みを買うことになる。

胡錦涛もまだ健在だし、李克強も習近平の寝首を狙っているし、共産党は一気にカオス状態に突入します。

中国のIT企業はすでに絶対絶命だ

石平　習近平がこの香港国家安全維持法を強行したことは、もう世紀の大愚挙ですよ。愚かな行動ですよ。要するに一番損するのは中国自身ですからね。まあ、この愚挙によって中国共産党の崩壊が早まったとしたら、私からすると習近平サマサマですが。

一方、これで香港の死亡が確定しました。中国はあまりにも大きなものを失うんですよ。

香港という自由貿易港は中国にとっても大変重要でしたが、それをすべて失うんです。そういう意味では、習近平は、本当に大バカと言うしかないわな。中国共産党の歴史のなかでも見たこともないクラスの大バカや（笑）。

例えば、鄧小平《とうしょうへい》という人は、非常に賢い人でした。狡猾《こうかつ》という意味ですが。アメリカも、まんまとだまされました。世界中が鄧小平にだまされました。ケントさん、鄧小平も私も四川《しせん》省出身です、そういう意味では四川省出身の人を見たら要注意ですよ。私も含めてみんな賢いですから。四川省の人、みんな頭がいい（笑）。でも陝西省《せんせいしょう》の出自の習近平は大バカや。

ケント　鄧小平は客家《はっか》人ですね。客家系は確かに優秀な政治家が多いといわれています。ベトナムのホー・チ・ミンもシンガポールのリ・クアンユー首相も台湾の李登輝総統も客家系です。蔡英文さんも確か客家の血を引いていますね。

石平　トランプ大統領が中国の二つのIT会社――ひとつが、若者を中心に今すごく人気がある15秒ほどの短い動画を投稿するアプリ「TikTok」を運営する会社、バイトダンス。もうひとつは、中国語で言えばウェイシンという、要するに英語名ではWeChat――その二つの会社との取引を、完全に禁止することを決めました。

中国のIT企業、通信情報企業をアメリカから完全に締め出す方向に進んでいます。日本でも、これに同調する動きがあります。

ケント それらの会社は、利用者の個人情報を全て吸い上げてしまって、中国政府に渡しているといわれている危険な企業です。

石平 そのとおりです。

ケント TikTokに関しては、マイクロソフトとオラクルが買収に名乗りを上げていますが、中身を変えないと無理でしょうね。

石平 取引禁止で、まずこの2社を締め出す。ファーウェイに関しても包囲網が着々とつくられつつある。イタリア、イギリス、それからフランスか。ドイツはちょっとわかりませんが。東ドイツ出身のアンゲラ・メルケル首相は本来親中派ですし、いざというとき優柔不断なところがあります。

ケント アメリカはファーウェイを本気で潰す気です。ファーウェイのスマホにしても心臓部分の集積回路はほとんどアメリカ製で、もうアメリカの企業が供給を止めましたから、彼らだけでは現在のように高機能なスマホをつくることはできないんですよ。

ファーウェイは完全に中国の国策企業であって、中国軍と非常に深い関係あります。「世界中から中国のために情報を盗み取る」と言っていると思いますよ。

石平　そう、そこが大問題。要は、中国のＩＴ関連の企業って、そこに集まる情報をすべて中国政府、あるいは中国共産党に渡さなければいけない。そういう仕組みになっているわけですよね。

アメリカに続いて日本もスパイ機関を規制せよ

ケント　ポンペオ氏が演説で言った「中国共産党の独裁体制が全ての問題の根源」ですよ。まさに地球のガン。ああいう独裁体制だからこそ、中国の大企業も共産党政権の命令に従わなければならないし、そもそも中国のそういう大企業の中には、実質、中国共産党や人民解放軍傘下の組織もあるわけです。

中国のマスコミも、企業も、中国の領事館も、全部この中国共産党というガン細胞が拡散していますから、すべてが中国共産党の一組織として働くんですよ。そこが危険なんです。

アメリカ政府はヒューストンの中国領事館を閉鎖したでしょ。あれはただの領事館ではありません。アメリカにおけるスパイ活動の拠点であり、アメリカの知的財産を盗む拠点でもあるんです。ですから、アメリカが命じた直後に、領事館がまずやったことは、領事館の中で大量の書類を燃やすことでした。アメリカの消防署が火事だと思って消防車まで出動したぐらい燃やしました。この事実によってどれほどの機密文書を燃やしたか、それがわかります。

石平　スパイ機関といえば、やはり孔子学院。トランプ政権は孔子学院の追い出しに動いていますが、日本はまだまだです。こういうものほど、アメリカ追従でガンガンやってほしいのですが……。

ケント　孔子学院プロジェクトの狡猾なところは、文化交流の名のもとに中国が各大学に呼びかけて、費用全額、中国持ち出しで「孔子学院」と名づけた学部をつくっているということです。大学としてはタダで学部ができる。ただし、その中身に関しては中国がコントロールします。財政が厳しいなか、大学としては魅力的ですよね。日本の大学にもあります。大学も経営が苦しいんです。子どもが減っているわけですし、中国のお金が欲しいんです。

石平　しかし、問題は大学当局だけではなく、日本の国会、日本の政府が、国益、あるいはわれわれの社会の自由を守るという観点から、そういう怪しい機関を取り締まらなければならないのに、何もしていないことです。この問題を国会で取り上げてくれたのは、私の知る限り自民党の杉田水脈議員くらいですよ。

日本の大学がどうしようもないのは、残念ながらわかりきっていることです。もう昔から、それこそ左巻きの陣営に牛耳られていて、今また中国共産党にも牛耳られている。ですから、日本の大学がどうにもならなくても、日本の政府がそういったスパイ機関を規制する法律をつくらなくてはならないんです。

インドもオーストラリアもアメリカと歩調を合わせる

ケント　アメリカが中距離弾道ミサイルの日本配備を示唆しました。これは日本にとって願ったりかなったりのことですね。中国の主要基地を射程に据えることができますし、敵基地攻撃能力に関しても問題はありません。左巻きメディアは騒ぐでしょうが、放っておけばいいんですよ。昔から比べれば、左巻きのトーンもずいぶんと低くなりました。国民は彼らよりもずっとずっとリアリストです。9条があれば戦争を仕掛けられないと思っているやつなんて、左巻きのなかでももはや少数なんじゃないかな。

在日米軍トップのケビン・B・シュナイダー司令官が「尖閣周辺で日本を助ける義務をまっとうする」と宣言しました。これは重要です。トランプ大統領就任直後は、いつ在日米軍引き揚げをちらつかせてくるか、なんて言われていたくらいですから。

ただし、やはりそこは、自らを助《たす》く者を助くで、日本人自身がしっかりと防衛意識を持たなければ、アメリカ軍といえども、他国の領土を守るために血を流せません。

石平　一刻も早い憲法改正が必要ですな。いつまでも対処療法的な解釈改憲では現実に合わなくなっています。

ケント　防衛ラインとしては、あと台湾。これは台湾関係法で対処する。

中国は台湾に対して、威嚇的な行動をとっているわけですからね。それから南シナ海、ここにはアメリカは空母を2隻《せき》出していますし、アメリカだけではなくて、オーストラリアなども参加する予定です。

石平　「航行の自由作戦」ですね。

ケント　そうそう。中国が勝手につくった人工島のあたりに睨《にら》みを利かせる目的で。

中国は、今度はインドに対してチョッカイを出しました。国境あたりで衝突を起こしました。これが全部コロナ騒動のなかで、つまり火事場泥棒的にこういうことをやっているわけですよ。中国共産党の危険性に関して、アメリカは気づくのが少し遅れたかもしれませんが、トランプ政権は強い姿勢を打ち出しています。

中国は、もしかしたらびっくりしているかもしれません。今まで世界に甘えて、好きなことを言っても許されてきましたが、今度はアメリカが本気で怒っていますから。

石平　おかげで一帯一路構想も足踏みしていますな。中国の覇権に手を貸すことが自殺行為であることをみんながわかり始めたのでしょう。

ケント　一帯一路にたくさんの国が協力する予定だったんですが、うまくいかなくなっています。やはり中国は信用できないという評判が広がっていっているわけですよね。

そこで石平さんにお聞きしたいんです。習近平は独裁者ですから、国際世論うんぬんってあんまり考えないかもしれませんが、さまざまな悪さをしているわけですよね。これによって自分の立場が、より安全なもの、安定したものになるとでも思っているんでしょうか。

石平　今、インドのお話が出ましたよね。本来ならば、中国の指導者が多少でも冷静であれば、あるいは多少でも戦略的マインドがあるならば、アメリカという強敵と戦うときに、絶対にインドを敵に回さないですよ。そうでしょう。

アメリカとやっている戦いの最中にインドと軍事衝突的なものを起こして、インドとの関係を徹底的に壊すのはどう考えても……賢い戦略だとは思えません。ですから、私はずっと習近平はバカだと言っています。もうバカでしかないわ。中国とはどちらかといえば融和的だったオーストラリアまで敵に回す。そうなると、まずインドを敵に回したことがどうなるかというと、南シナ海において、インドも、オーストラリアも、アメリカと歩調を合わせて、中国の拡張を封じ込めに向かうわけです。習近平はだから、バ……いや、狂気と言っていいかもしれません。おそらく自分でも何をやっているのか、わかっていない。だから、私もお手上げ。こちらの思考能力をはるかに超えてしまっている（笑）

ケント　インドとの衝突は、一帯一路構想にとっても致命的な失点となりましたね。

石平　インドがまさに、その一帯一路構想の柱の一つですよ。インドの地政学的な場所としても、インドの大きさにしても。大体今まで一帯一路構想で行った融資の4割が、インドへのものです。それがチャラになった。

習近平は万事こうなのです。自分で立てた計略を自分の手で潰す。台湾には一国二制度の誘い水で統一を呼びかけたものの、香港の現在の惨状を見れば、バリバリの国民党支持者ですら、乗っかるやつなんていません。最近の台湾の世論調査でも9割の台湾人が、「一国二制度なんて信じない」と答えています。

もう習近平は王朝末期の中国皇帝のようだ

石平　習近平は、もう頭がおかしくなっていると見たほうがいいよ。そうなると、逆に危険かもしれない。冷静な指導者ならば簡単に戦争に踏み込むことはしませんが、彼は違います。北朝鮮よりも危険です。金正日には狂気を演じる理性がありましたが、習近平には狂気しか感じません。今後、南シナ海、あるいは台湾海峡、さらには尖閣周辺で事を起こす可能性も充分にあり得ます。

ケント　アメリカは大統領選で身動きが取れない状況だと中国は見ているかもしれませんね。この時期に本格的な軍事行動はないと思いますが、いろいろな既成事実をつくっておこうと、さまざまな行動を仕掛けてくる可能性はあります。尖閣での挑発行為は、その最たるものですね。

石平　挑発が挑発で終わってくればいいのですが。なんせ、相手は半分狂人ですから。

ケント　ネックはアメリカ側にもあります。アメリカの国会議員は「中国けしからん」で一致しているんですよ。香港自治法もほぼ満場一致で可決されましたし、ポンペオ演説も与野党ともに歓迎しました。一部を除いて、マスコミもそうです。この期に及んで心から中国を称賛するメディアはいません。ただマスコミは中国嫌いですが、それより嫌いなのはトランプさんなんです。ですから、トランプさんが、例えば中国に強硬な態度を取ろうとすれば、「戦争でも起こす気か」と、とたんにハト派的な論調でトランプ批判の記事を書く。それが間接的に中国擁護になってしまうんですよ。つまり、中国を愛しているのではなくて、トランプ憎しなだけなんです。もう、アメリカのメディアも常軌を逸していますね。

国民の心情は決してそうではないんですけれどね。中国が嫌いだっていうのは世論調査によりますが、85パーセントぐらいだそうですよ。

ただ、当のトランプさんは、そんな左巻きのメディアが書くことなんか、まったく気にしていません。あのポンペオ演説がトランプ政権の公式見解です。そこまで中国が読み取っているかどうかはわかりません。しかしトランプさんが現在、選挙で足元を取られていると高をくくって下手な挑発をすれば、手痛い目に遭う可能性もあるわけですよ。

石平　トランプという人は企業人としての長いキャリアから人を見抜く能力に長《た》けているように思えます。ですから、一度会っただけで、安倍さんの政治家としての技量を見抜きましたし、文在寅の無能さも見抜きました。文在寅の頭越しに金正恩を交渉相手に選んだのも、金のほうがよほど使える男だと思ったからです。当然、トランプは習近平という男もよくわかっています。反面、習近平はトランプという人物をまったく理解していないし、理解できない。理解できないだけに、非常に不気味だと思っているじゃないでしょうか。

ケント　トランプさんと習近平の個人的なつながりというのは、最初の米中貿易協定で生まれたのですが、それは現在もう完全に壊れてしまいました。そのあたりを中国はどう計算しているのか。あるいは計算なんかできず、石平さん流に言うなら、アレなのか（笑）。それとも独裁者を気取っているだけなのか。

そもそも、香港をここまで弾圧して自分らに利があると思っているのでしょうかね。

石平　習近平のやることはまったく場当たり的ですね。香港に対しては昨年、逃亡犯条例の改正案を香港政府が出して、これに香港市民が大反対運動を起こしたのはご承知のとおりです。それで結局、香港政府が逃亡犯条例の改正案を撤回したんですよね。要するに、共産党政権と香港政府が折れたんですわな。習近平からすれば自分のメンツが丸潰れです。ですから、もう許さない。許さないからこそ、いっそのこと国家安全維持法をつくって、香港の中の反対勢力を全部移送してしまおう、という考えなんです。

要するに、独裁者がそういうときに考えるのは、自分がこの家の絶対的な父親であって、子どもが文句一つ言ったら、すぐに叩き潰すということ。それが国や民にとってどういう影響となって跳《は》ね返ってくるか、そもそもそんなことを考える頭を彼は持っていません。

ケント 全体主義者の癖《くせ》がついているわけですね。言葉を換えれば、前近代の中国皇帝のようです。しかも、王朝末期の皇帝だ。

石平 そう。王朝末期。皇帝に徳がなくなったと天が判断して、王朝の交代が起こるといわれています。その〝兆候〟が表れて、人民の間に噂となって広がるのが為政者にとって一番怖いわけです。

兆候――たとえば、暴動。実は海外ではあまり報じられていませんが、国内でデモや暴動が毎年、大小1000回くらいあるわけです。極めつけは香港デモです。この様子は世界中に配信されてしまいました。インターネットのなかった天安門事件の時代とは大違いです。

それから天変地異に疫病、蝗害《こうがい》（バッタ類の大量発生による災害）。これが全部出そろっています。大洪水で上海まで水びたしだし、疫病はもう説明の必要がありません。アフリカからはバッタの大群がやってきて、農作物を食い荒らしています。このままいけば、確実に中国は食糧不足に陥ります。慌てた習近平は、ご飯は残すなという、小学校の先生のようなお触れを出したほどです。事態はリアルな、深刻といってもいい方向へ進んでいます。

それから、王朝の末期には必ず宗教が人心を掌握します。紅巾《こうきん》、黄巾、太平天国、義和団……。

実を言えば、中国共産党がもっとも恐れているのが宗教なんです。神仏を畏《おそ》れているわけではなく、その逆です。なまじ拝金主義の唯物論者だけに、金や地位と関係なく人々の心をとらえてしまう信仰というものは、彼らにとってはとても不気味なものなんです。ですから、敬虔な仏教徒であるチベット人を迫害する。イスラム教徒のウイグル人を迫害する。カトリックの地下教会を迫害する。そのやり方も、尼僧と性交させたり、ウイグル人に無理やり豚肉を食べさせたりといった、およそおぞましいものです。挙句には、ただの気功集団である法輪功にも迫害を加え、学習者を臓器狩りの対象にしています。

ケント　そもそも、神仏を信じていたら、生きたまま臓器を取り出して売買したり、遺体をプラスティックコーティングして見世物（『人体の不思議展』）にしたりする発想すらできません。南京大虐殺記念館なんか、犠牲者のものだといって出どころ不明の無数の人骨が飾られていますが、あれを見ると日本人の見学者は、贖罪感にかられる前に死者に対する冒涜だと感じてしまうでしょう。

世界は強い日本を待っている

石平　トランプ大統領になってから、ようやくウイグル人の弾圧に関してアメリカの大手メディアでも報道されるようになりましたね。この功績は大きいと思います。

ケント　ご承知のとおり、アメリカ企業もずいぶんと中国に入り込んでいて、そのせいか中国のネガティヴな報道は抑えられていたんです。そんななか、有名なところでは、スポーツシューズのナイキやアディダスの製品をつくるために、ウイグル人が中国の工場で奴隷労働にも等しい条件で働かされているということが、アメリカとイギリスの人権団体の報告で明らかにされたのです。批判を浴びたナイキは、調査を約束し、中国からほかの国への工場移転の検討を始めているようです。おそらく、これを受けてほかの企業も重い腰を上げざるをえないでしょう。

石平　ウイグル人を強制労働させて、タダ同然の賃金で製品をつくらせる。そこでつくられたシューズを世界中のアスリートが履く。そういえば、例の黒人暴動で、エルメスなどのブランド・ショップと同様に略奪に遭っていたのが、ナイキのショップです。なんとも皮肉な光景でした。

ケント　とはいっても、すぐにアメリカの企業が中国から引き揚げるということは、現実的には難しい。さまざまなコストを考えればね。

　しかし第三章でも述べましたように、ここへ来てトランプ大統領は、中国から生産拠点を戻す米企業に大幅減税を検討する発表をしました。さらに、ここからが重要なので繰り返しますが、最初に言いましたように、このトランプさんの減税措置は、明らかに安倍首相の国内回帰企業への補助金政策をモデルにしているということです。これまで、日本がアメリカの政策を後追いすることは何度もありましたが、アメリカが日本をお手本に政策を考えるということは、あまり聞いたことがありませんでした。こういうことをなぜ日本のマスコミはもっと掘り下げて報道しないのでしょうか。

石平　トランプ大統領だからこそ、という見方もできますね。いいものは何のてらいもなく、真似る。頭が非常に柔軟なんです。これまでのアメリカの政治家の文脈とは別のところから出てきた大統領という感じがします。それと、やはり安倍さんとは深い信頼関係があるからですね。

ケント　トランプ政権にとって大スキャンダルになるだろうといわれ、反トランプ派が手ぐすねを引いて待っていたボルトン前大統領補佐官の回顧録も、フタを開けてみると、政権に致命症を与えるような記述はなく、どちらかというと、トランプ大統領と安倍首相の親密ぶりがクローズアップされる内容でした。578ページの本の中で、日本への言及が153回、安倍首相への言及が157回あります。

石平　「トランプ大統領が世界中のリーダーの中で最も個人的に仲が良かったのは、安倍首相」とはっきり書いてありましたな。

ケント　唯一、日本に対して批判的な個所を挙げるなら、「日米同盟があまりにもアメリカの負担が大きい」と、トランプさんが安倍さんに詰め寄ったというところ。実際、在日米軍の駐留費の大幅引き上げも持ちかけたらしい。しかし、いつの間にか、それらの話もなんとなく消えていったところを見ると、安倍首相がトランプさんに、いかに現在、日米同盟が大切か、この同盟がアメリカにも大きなメリットがあるかを説いて、トランプさんもそれにある程度の理解を示したのだと思います。こういうネゴシエーション（交渉）ができる日本の総理大臣がやっと登場したのか、と頼もしく思いました。

トランプ大統領が拉致問題に深い関心を寄せていることもわかりましたし、これも安倍さんの同問題への真摯な態度に心打たれたからだと思います。

石平　アメリカの政策にまで影響を与える日本の総理大臣というのはすごい。最初の話に戻りますが、日本のコロナ対策に世界の注目が集まっていますし、この未曾有の危機を迎えた人類に、日本はいろいろな面でお手本を提供できる存在なのではないですか。

ケント　それには、やはりまず日本人自身の自覚が必要ですね。米中新冷戦にしても、中心になって中国と対峙するのはアメリカですが、日本もまた当事者であるということを忘れてはいけません。いや、見方を変えれば、日本は最重要プレイヤーであると言えます。

石平　そのためにも、トランプ＝安倍ラインは絶対不可欠ですな。他に、ジョンソン（イギリス）、モディ（インド）、蔡英文（台湾）、モリソン（オーストラリア）とすごいメンツがそろっている。対中包囲網としては、100年に一度の奇跡だわ。

ケント　トランプはもう韓国の文在寅大統領に関しては、事実上の戦力外通告を出しているのと同じです。文大統領が、G7に呼ばれるといって、韓国のマスコミは、はしゃいでいますが、要はトランプ大統領から最後の踏み絵を迫られるだけです。今までのようなのらりくらりの態度は許されないでしょう。とはいえ、韓国が対中戦略のプレイヤーになる可能性は限りなくゼロです。となれば、アジアにおける日本の重要度はますます高くなるということになります。

石平　日本はアジアの盟主になるだけの実力と見識を備えた国です。アジアのリーダーは中華人民共和国でなく、断じて日本でなくてはなりません。しかし、なぜか日本という国は、「リーダーになれ」と言われると、ちょっと及び腰になりますな。「日本がアジアをけん引する」なんて謳《うた》うと、すぐに「戦前の軍国主義への回帰だ」「過去の過ちを忘れたのか」なんてとんちんかんなことを言う左巻きの識者がいる。

ケント　まさしくWGIPの後遺症です。日本は目立ちすぎるとすぐに叩かれてしまうというトラウマを持っています。それから、平均値が高い日本では、突出した存在、英雄を必要としない傾向があります。ひとりの優秀な学級委員よりも、クラス全体で偏差値を上げることを好みます。

アメリカは逆で、ヒーローが大好きな国です。西部劇のシェリフ保安官のような突出したリーダーがひとりいて、そのリーダーをみんなで盛り上げるのです。トランプは生まれるべくして生まれたアメリカのリーダーだと思います。

日本も戦前までは、誇り高いアジアのリーダーとしての自覚と自信を持っていました。敗戦とその後のＧＨＱの占領教育が、すべてを変えてしまったのです。

石平　まったく、その通りだと思います。しかし、ここで日本に目覚めてもらわないと。

ケント　コロナ・ショックと対中冷戦が、日本覚醒のきっかけになると私は信じています。世界は強い日本を待っているのです。

石平　ここが勝負どころです。「日本、頑張れ！」。「日本人、頑張れ！」。

中国で生まれ育ち、日本が好きで日本人になった私は、今こそ、声を大にして言いたい。

おわりに

《石平》

私はケント・ギルバートさんとのお付き合いが長く、二人で対談して本を出したのは本書で三冊目である。

私たち二人は、出身国の宗教的・文化的背景はまったく異なっており、個人的経歴も専門分野も随分違っている。おまけに、性格的にも多くの違いがあって、いつも穏やかに語るケントさんに対し、性急な私は常に、早口で大声で喋るものである。あるいは生活習慣に関して言えば、ケントさんはドーナツが好きな大の甘党であれば、この私めは甘いものが大嫌いだが、その代わりに大の辛党で大酒飲みである。

それでも私たち二人は今まで、こういった違いを超えて友達同士になっているし、意気投合して一緒に仕事をしてきたわけである。それは一体なぜだったのかというと、考えてみれば、私たちを結びつけた最大の共通点はやはり「日本」ということである。

アメリカ出身のケントさんと中国出身の私は、一緒になって意思疎通を図るときも対談するときも、いつも日本語を使っている。日本語こそが私たちの共通語なのである。欧米系のケントさんと元中国人の私は、互いに日本語で話していることに対し、実はなんの違和感もない。二人で対面していると、まるで当然のことであるかのように、「ケントさんはどう思う？」「石平さんの考えは？」と、日本語で相手に話しかけていくのである。

日本に関する私たちのもう一つの共通点は、やはり「日本が好き」という点であろう。今はすでに日本国民の一員となった私は当然、日本のことが好きであるし、「好き」というよりも自分の所属するこの素晴らしい国を心から愛している。ケントさんはアメリカ国籍のままであるが、彼の発言と態度からは、日本に対する深い愛情がいつも強く感じられる。私たち二人は、大の「愛日家」なのである。

今まで、私たちはまさに「愛日」の立場から雑誌や出版の企画でいろいろと対談を行い、さまざまな問題について語り合ってきた。その中では、ケントさんが国際通としてのアメリカ人見識者の立場から、私が中国出身の中国問題研究者の立場から、米中問題や日中問題などの国際問題を語り合う場合が一番多い。あるいは、二人とも外国出身者の立場から、日本の抱える諸問題について一緒に考えることもある。そして後者の場合、私たちは図らずとも一致して、批判の矛先を日本の左翼、とりわけ一部の日本人の左翼的思想や考え方に向けていく。日本を愛するあまりに、日本の安全保障を蔑《ないがし》ろにして日本の伝統と文化を破壊しようとする左翼たちの蛮行を、私たちはどうしても許せないのである。

皆様が読み終われたところの本書は、上述のような趣旨の対談本や雑誌対談とは一味違う。それは、「愛日家」である私たち二人が、まさに「日本」を中心テーマにして語り合った一冊であるからだ。しかも大変重要なのは、中国発のコロナ禍が日本列島を襲った最中に行ったこの対談の中身は決して、私たちがいわば傍観者として外から「日本」を観察して発したところの「日本論」ではない。私たちはまさに日本の中で暮らす一員として日本国民と共にコロナ禍との戦いを体験し、この壮絶な戦いにおける日本国民の冷静沈着さや集団的団結力をこの目で見て、そして大いに感心したのである。

この戦後最大の国難における日本国民の素晴らしい行動は、日本人の民度の高さ、日本民族の国民性の凄さ、そして日本の伝統と文化の奥深さを、今まで以上の強烈さをもって私たちに再認識させ、私たちの心を強く打った。「愛日家」だと自認する私たちはこれをもって日本に対する認識を改め、そして日本に対する愛をさらに深めたのである。

こうしたなかで行なった本対談は、内容はすでに皆様のご存知のところであろうが、それは、コロナとの戦いにおいてより顕著となった日本人の素晴らしさに対する私たちの賛美歌であり、その素晴らしさの背後にある日本の伝統と文化に対する私たちの再発見である。そしてそれはまた、コロナとのこれからの戦い、外部からのさまざまな脅威とのこれからの戦いに臨む日本民族に対しての、私たちが心から捧げたい応援曲の一つであり、私たち自身も含めた、この日本に住む全ての人々に対する励ましの一冊なのである。

このような一冊を刊行できたことにあたってはまず、対談に応じて下さったわが親愛なる友人のケント・ギルバートさんに心からの感謝を申し上げたい。そして、この対談を企画し編集して下さった、かや書房の岩尾悟志社長や同社のスタッフの皆様に心からの感謝を申し上げたい。そして最後に、本書を手にとっていただいた読者の皆様には、ただひたすら頭を垂れて御礼申し上げたい次第である。

令和2年8月16日
奈良市内・独楽庵にて

石平

ケント・ギルバート

×

石平

構成／但馬オサム

ウィズコロナ 世界の波乱 日本は民度の高さで勝利する

2020 年 9 月 30 日　第 1 刷発行

著　者　ケント・ギルバート　石平

発行人　岩尾悟志
発行所　株式会社かや書房
〒 162-0805
東京都新宿区矢来町 113　神楽坂升本ビル 3 F
電話　03-5225-3732（営業部）

印刷・製本　中央精版印刷株式会社

Printed in Japan
ISBN978-4-906124-99-2 C0036

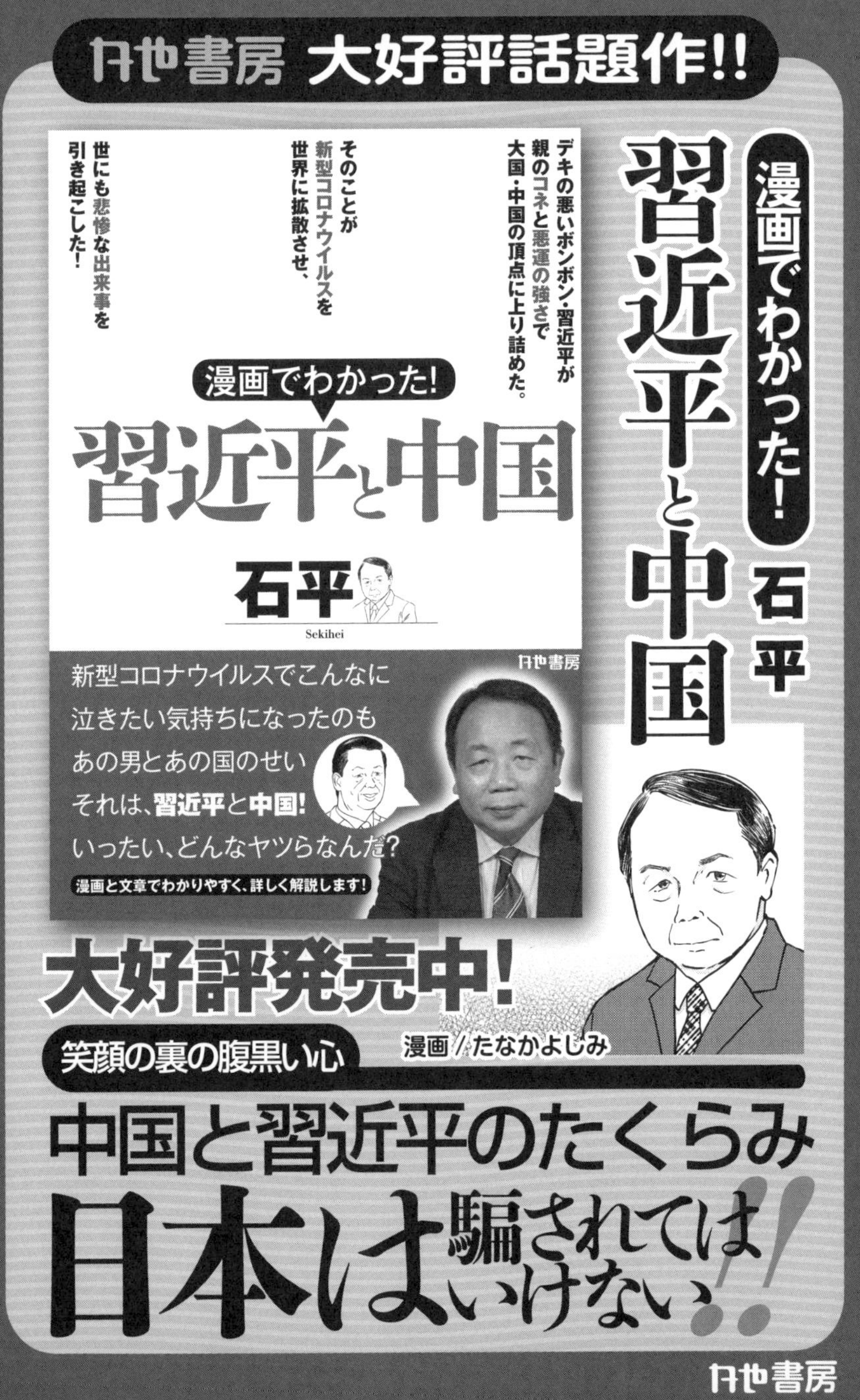

ハート出版書房 大好評話題作!!
漫画でわかった!
習近平と中国
石平
デキの悪いボンボン・習近平が
親のコネと悪運の強さで
大国・中国の頂点に上り詰めた。
そのことが
新型コロナウイルスを
世界に拡散させ、
世にも悲惨な出来事を
引き起こした!
漫画でわかった!
習近平と中国
石平
Sekihei
ハート出版書房
新型コロナウイルスでこんなに
泣きたい気持ちになったのも
あの男とあの国のせい
それは、習近平と中国!
いったい、どんなヤツらなんだ?
漫画と文章でわかりやすく、詳しく解説します!
大好評発売中!
漫画/たなかよしみ
笑顔の裏の腹黒い心
中国と習近平のたくらみ
日本は騙されてはいけない!!
ハート出版書房